FRANÇOISE ET MICHEL MOINE

# DÉCOUVRONS LES POUVOIRS INCONNUS DE L'ESPRIT

## Parapsychologie pratique

*Clairvoyance, Prémonition, Télépathie,
Psychocinèse, Hypnomagnétisme, Magie*

Dessins de Pierre Delvincourt

Editions de Mortagne

édition: Les Éditions de Mortagne

distribution: Les Presses Métropolitaines Inc.
175 Boul. de Mortagne
Boucherville, Québec
J4B 6G4
Tél.: (514) 641-0880

dépôt légal: Bibliothèque nationale du Canada
Bibliothèque nationale du Québec
4$^e$ trimestre 1983

ISBN: 2-89074-094-3

1   2   3   4   5   —   86   85   84   83

# Avant-propos

Si je vous sers de guide pour explorer les pouvoirs inconnus de votre esprit, mieux vaut que vous sachiez à qui vous avez affaire... J'étais tout jeune, encore enfant, quand je me suis intéressé à tous ces phénomènes mystérieux que l'on englobe, aujourd'hui, sous le nom de *parapsychologie*. À l'époque, les gens sérieux, les scientifiques et les philosophes, parlaient de *métapsychique*. Le petit garçon que j'étais ignorait, bien entendu, toutes les nobles terminologies et se souciait comme d'une guigne des innombrables controverses qui fleurissaient sur ces sujets jugés « peu sérieux ».

J'avais onze ans à peine et la foi du charbonnier quand je décidai de suivre, à la lettre, un *Cours d'hypnotisme par correspondance* datant de 1902, que j'avais exhumé du grenier de mon grand-père. J'y croyais tant et si bien que j'endormis sans difficulté mon premier « patient », un gamin de mon âge. Je venais d'entrer, sans le savoir, dans le monde fascinant de la parapsychologie.

Cette première tentative fut suivie de beaucoup d'autres. Radiesthésie [1], télépathie, magnétisme, clairvoyance..., j'ai réalisé un grand nombre d'expériences. J'ai été amené à observer de très près tous les phénomènes de sorcellerie. C'est grâce à l'empirisme, à l'expérimentation pure, que j'ai découvert les extraordinaires, les infinies ressources de l'esprit humain. Devenu journaliste, je me suis efforcé, devant ces phénomènes inexpliqués, d'être un observateur impartial. J'ai déploré et dénoncé le charlatanisme qui régnait (et règne encore) dans ces sphères si mal explorées. J'ai applaudi et suivi de très près les études scientifiques qui se

---

1. *Guide de la radiesthésie*, Stock, 1973.

multiplient depuis une vingtaine d'années. Un jour, peut-être, mes jeux d'enfant seront considérés comme la science du XX<sup>e</sup> siècle ? En attendant, je voudrais vous les faire partager.

À l'aide de tests et d'expériences simples, je voudrais vous prouver que vous possédez, vous aussi, des facultés cachées. Ces facultés, présentes en chacun de nous, sont plus développées chez les uns que chez les autres. Cet ouvrage est destiné à vous montrer la réalité de certains phénomènes et à vous faire prendre conscience de vos dons et de vos aptitudes personnels. Il se peut que votre intuition mérite d'être exploitée, à moins que ce ne soient vos facultés télépathiques ? Pourquoi ne pas essayer ?

Françoise Moine, ma femme, est elle-même journaliste. Partageant ma vie, elle a pris goût à certaines de mes passions. C'est ainsi qu'elle a découvert la parapsychologie. Pourquoi le cacher ? Au début, elle était sceptique. Il a suffi qu'elle expérimente elle-même pour se convaincre. Sa curiosité journalistique aidant, elle m'a alors posé une foule de questions... Les questions que vous avez, peut-être, vous-même en tête. Comme vous, probablement, elle savait peu de choses à l'origine. J'ai essayé de lui communiquer l'essentiel de mes connaissances toutes expérimentales. Et c'est du fruit de ce travail que nous voudrions vous faire profiter.

Michel MOINE.

# Comment utiliser
# cet ouvrage

Ce livre se compose de trois parties.

La première est destinée à vous donner quelques notions concernant *l'évolution de la parapsychologie* en général.

Le but de cet ouvrage étant essentiellement pratique, nous nous bornerons à esquisser les étapes les plus marquantes de cette histoire fort longue et extrêmement complexe. Les lecteurs désirant approfondir leurs connaissances pourront se reporter à la fin du livre où une bibliographie les renseignera sur les divers documents susceptibles de les intéresser.

La seconde partie est conçue pour vous aider à détecter vos tendances spécifiques dans le domaine de la parapsychologie. Nous avons mis au point *une série de tests* qui vous permettront de déterminer, suivant votre tempérament psychophysiologique, dans quels genres de recherches (clairvoyance, télépathie, hypnotisme, etc.) vous avez le plus de chance de réussir.

La troisième partie, enfin, vous donnera la possibilité d'accomplir *des expériences* dans les domaines pour lesquels vous êtes plus particulièrement doué. À noter que nous n'avons pas envisagé la totalité des phénomènes parapsychologiques. Nous avons fait un choix en fonction de nos propres expériences, éliminant aussi ce qui nous a paru trop complexe et de nature à rebuter les tout nouveaux étudiants que vous êtes.

Chaque discipline fait l'objet d'un chapitre.

Chaque chapitre présente :

  — des expériences vécues et des témoignages ;
  — des exercices d'entraînement pour vous permettre d'utiliser les facultés parapsychologiques qui sont les vôtres.

# 1

# Coup d'œil sur le passé

Psi... Qu'est-ce que cela signifie ?

Professeur d'université, célèbre parapsychologue français, Rémy Chauvin a déclaré, non sans humour, lors d'un congrès de parapsychologie :

« Psi me paraît un excellent terme..., car il ne veut absolument rien dire ! »

Lettre de l'alphabet grec *psi* est, en mathématiques, symbole de l'inconnu. De plus en plus couramment employé, ce terme est une trouvaille récente pour désigner l'ensemble des phénomènes paranormaux, telles la télépathie, la clairvoyance, la prémonition, etc. Si ce vocable court, suggéré en 1942 par le psychologue Robert H. Thouless, a rallié presque tous les suffrages, c'est qu'il est neutre et supprime toutes les ambiguïtés d'un vocabulaire qui n'en finissait plus de se diversifier.

*Dieux et démons tout-puissants.*

Occultisme, spiritisme, magie, sorcellerie..., autant de mots qui ont servi, et servent à désigner les multiples phénomènes que l'homme n'a pas encore réussi à expliquer. Le mystère, l'étrange fascinent l'*homo sapiens* depuis le début des temps. Lorsqu'il ne trouve pas d'explications rationnelles à certaines bizarreries de l'existence, que fait-il ? Il imagine l'intervention de forces surnaturelles. Il rend responsable les dieux ou les démons.

Il suffit de lire la *Vie des saints* pour s'apercevoir que, dès la plus lointaine Antiquité, le récit de leurs prophéties était fondé sur des rêves prémonitoires. Les apparitions, les guérisons miraculeuses, les cas de lévitation sont nombreux dans ces écrits. Ainsi, sainte Thérèse d'Avila et saint Joseph de Cupertino, qui s'élevaient dans les airs bien malgré eux, ont, plus d'une fois, souhaité être délivrés de cette fâcheuse particularité. À l'époque, bien entendu, tous ces « miracles » étaient attribués sans distinction à la grâce divine. Aujourd'hui, pour ne prendre que l'exemple de la lévitation, on serait plutôt porté à penser à la puissance de l'esprit sur la matière. (Pour les parapsychologues, la lévitation est un phénomène de *télécinèse*.)

Les cultures égyptienne, gréco-romaine, judéo-chrétienne abondent en manifestations divines de toute espèce. Chez les Anciens, les devins inspiraient un respect considérable et jouaient un rôle de tout premier plan dans la vie politique. Que de responsabilités la pythie de Delphes n'a-t-elle pas eues dans l'histoire du Bassin méditerranéen ! Le très sérieux Platon croyait à ses révélations et les a mentionnées à plusieurs reprises dans ses œuvres. Il fait dire à Socrate à propos du démon qui l'inspire : « ... cette voix prophétique est certainement plus authentique que les présages tirés du vol ou des entrailles des oiseaux. J'ai communiqué à mes amis les avertissements que j'en ai reçus et, jusqu'à présent, sa voix ne m'a jamais rien affirmé qui ait été inexact. »

Par contre, d'autres philosophes comme Démocrite ou Aristote n'accordaient pas le moindre crédit aux divinités surnaturelles. Ils reconnaissaient toutefois que les rêves peuvent parfois fournir de précieuses indications sur le présent comme sur l'avenir.

*De l'obscurantisme aux balbutiements de la science.*

On est assez mal renseigné sur la façon dont sont considérés les phénomènes paranormaux pendant la période médiévale. Mais dès le XVIe siècle, il ne fait aucun doute qu'ils perdent pour la plupart leur caractère sacré et deviennent démoniaques. La chasse aux sorcières est ouverte et n'est pas près de se clore !

En 1596, le juge Rémy de Nancy assure avoir brûlé en seize années huit cents sorcières. « Ma justice est si bonne, disait-il, que l'an dernier il y en a eu seize qui se sont tuées pour ne pas passer par mes mains. » Sur le « tableau de chasse » de Pierre de Lancre, juge au parlement de Bordeaux, on relève cinq cents personnes brûlées vives, parmi lesquelles une majorité de très jeunes filles et d'enfants. Pendant toute cette période de l'Inquisition, près de cinquante mille personnes auraient été exécutées tant en France qu'en Allemagne et en Belgique. Un nombre fabuleux de soi-disant crimes commis au nom de la sorcellerie comme à celui de l'Église !

La Renaissance voit cependant des médecins, des philosophes s'intéresser à l'occultisme qu'ils essaient de démythifier en l'intégrant à leurs spéculations scientifiques. On transpose souvent les manifestations étranges sur le plan de la psychologie humaine. Beaucoup plus tard, Goethe, qui se passionnait pour l'occultisme, citera le philosophe italien Tommaso Campanella qui assurait que « de nombreux sujets perçoivent par l'air ce que pense un autre homme ».

Au XVIIᵉ siècle, un médecin belge, Jan Baptist Van Helmont, à qui on doit la découverte du gaz carbonique et du suc gastrique, écrit : « J'ai hésité à révéler au monde un grand mystère grâce auquel l'homme apprend qu'il a en lui, à la portée de la main, une énergie qui obéit à sa volonté, à sa puissance imaginative et qui peut agir extérieurement en exerçant son influence sur les choses et les personnes à distance. » Une théorie qui, comme on le voit, était singulièrement avancée pour l'époque.

Enfin, une surprise de taille ! Dans ses *Méditations métaphysiques*, le philosophe Descartes envisage une théorie physique de la télépathie. Ce qui ne manque pas de sel si l'on songe qu'à l'heure actuelle on se réfère souvent au rationalisme cartésien pour dénier la possibilité d'une étude méthodique des phénomènes paranormaux.


*« Lève-toi et marche... »*.


C'est seulement au XVIIIᵉ siècle, grâce au médecin viennois Mesmer, que s'établissent véritablement les bases de la parapsychologie. Celui-ci met en évidence une sensibilité corporelle de ses patients qu'il nomme « magnétisme animal ». Cette force appelée *fluide* peut se transmettre entre plusieurs personnes et provoquer une modification de leur état physiologique. Mesmer utilisa cette découverte à des fins thérapeutiques. Tout en fixant son patient dans les yeux, il effectuait des passes magnétiques le long de son corps. Au bout de quelques séances, on était miraculeusement guéri. Ces méthodes connurent un vif succès à Paris, où la guérison de la jeune chevalière de Preuxménils, qui souffrait de crises nerveuses, fit beaucoup de bruit. Le succès du médecin viennois ne dura que cinq ans. Il fut accusé de charlatanisme et ses travaux furent soumis à une commission d'enquête nommée par le roi qui rendit un verdict de mystification. Après quoi on n'entendit plus parler de Mesmer.

C'est à un de ses disciples, le marquis de Puységur, que revint le mérite de découvrir l'hypnose. Alors qu'il tentait un jour de magnétiser un jeune berger, il remarqua que celui-ci s'était endormi. Impossible de le réveiller. À tout hasard, le marquis cria : « Lève-toi et marche... » et fut tout surpris de voir le petit garçon se mettre sur pied, mais sans ouvrir les yeux. Il lui posa quelques questions, l'enfant répondit. Il lui donna des ordres, il les exécuta. À son réveil, le berger n'avait plus aucun souvenir de ce qui s'était passé. Puységur donna à ce phénomène le nom de « sommeil spasmodique ». En 1843, un Anglais, James Braid, parla pour la première fois d'hypnotisme après avoir assisté aux démonstrations d'un magnétiseur français, Lafontaine.

Entre-temps, en 1825, des médecins comme le baron du Potet, le docteur Husson et le docteur Petetin pratiquaient des expériences qui défrayèrent la chronique, en provoquant le somnambulisme à distance. Dans un rapport présenté à l'Académie de médecine en 1833, ils aboutirent à la conclusion que l'état de somnambulisme peut conduire au développement de facultés nouvelles portant le nom de clairvoyance, d'intuition, de prévision intérieure. Les somnambules avaient en effet décrit, les yeux fermés, les objets posés devant eux ; dans les mêmes conditions, ils avaient deviné la couleur et la valeur de cartes à jouer, lu des mots pris au hasard dans des livres, etc.

Toutes ces expériences n'étaient pas prises au sérieux, loin de là ! S'il y eut des convaincus, il y eut aussi beaucoup de railleurs. Ce qui n'empêcha pas les recherches de se poursuivre, aussi bien en France qu'en Allemagne, et l'on peut retenir des noms comme ceux de Passavant, Brandis, Carus.

En 1887, un physicien anglais, William Barrett, ajoute une pierre à l'édifice : une série d'expériences lui permet de constater la transmission de sensations entre l'hypnotiseur et son patient. Alors que l'on mettait du sucre ou du sel sur la langue de l'opérateur, une fillette aux yeux bandés ressentait les sensations gustatives correspondantes. Elle affirma même avoir éprouvé une douleur à la main lorsque Barrett approcha sa propre main de la flamme d'une bougie.

Malheureusement, ces observations communiquées par le professeur ne furent pas reconnues par les milieux scientifiques de l'époque.

*Quand les tables tournent.*

Avec Mesmer s'était ouverte la voie des recherches parapsychologiques expérimentales. Une nouvelle étape dans l'histoire de l'occultisme allait commencer, le 31 mars 1848, dans une petite ville de l'État de New York.

Depuis un certain temps, il se passait des choses étranges dans la maison de la famille Fox qui était réveillée, la nuit, par des bruits de coups répétés. Ce soir-là, les deux adolescentes de la maison, âgées respectivement de douze et quinze ans, eurent l'idée de converser avec le mystérieux esprit frappeur en imaginant une sorte d'alphabet. L'esprit se plia à ce caprice et répondit à leurs questions. Bien que l'on parlât beaucoup de fraude et de truquage à propos de cette histoire, l'Amérique, à dater de ce jour, découvrit qu'elle était peuplée d'une multitude d'esprits bavards.

Bientôt, la fièvre spirite s'empara du pays. Les esprits faisaient tourner les tables, jonglaient avec les bibelots et les meubles, jouaient de la trompette ou du piano, et même se matérialisaient. C'est alors qu'une émigrée, Helena Petrovna Blavatsky, qui possédait des facultés médiumniques certaines, entra dans l'histoire du spiritisme.

Lors d'une conférence sur les pyramides égyptiennes, un certain M. Felt expliqua que les lois secrètes de leurs proportions pouvaient être utilisées pour évoquer les esprits. Il émit l'idée qu'il serait bon de fonder une société pour étudier ce genre de choses. Ainsi naquit la Société théosophique. C'est à Mme Blavatsky qu'incomba la tâche d'en écrire la bible. Les deux volumes de l'ouvrage *Isis dévoilée* sortirent en 1877. Les lecteurs en furent nombreux, car ils contenaient des affirmations assez extraordinaires. L'idée fondamentale que l'on peut en retenir est que l'homme étouffe sous son poids de chair, mais qu'il possède la volonté et l'intelligence pour s'en dégager. Avec de la confiance et du courage, il peut se hisser au niveau des dieux.

En France, dans le même temps, la mode des tables tournantes s'était répandue. Elle faisait fureur dans les salons littéraires. Théophile Gautier s'adonnait à ce passe-temps ainsi que Mme de Girardin. Cette dernière initia Victor Hugo qui, pendant son exil à Jersey, eut souvent recours aux tables. Plus tard, craignant pour l'intégrité de sa personnalité, il abandonna cette pratique non sans avoir affirmé : « Il y a deux parties dans la nature : la première que nous connaissons, la deuxième que nous commençons à connaître et n'expliquons pas encore. C'est une nouvelle science. »

*Les savants s'en mêlent.*

L'enthousiasme et la curiosité déchaînés par le spiritisme sont tels qu'en 1852 une pétition portant quatorze mille signatures est présentée au Sénat des États-Unis pour demander qu'une commission scientifique soit nommée pour étudier ces problèmes.

C'est avec Sir William Crookes que l'Angleterre, à cette époque, entre également dans une ère plus scientifique. Les expériences du grand physicien avec les médiums célèbres Miss Kate Fox et D.D. Home sont universellement connues, et quelques-unes d'entre elles demeurent fondamentales. Ces expériences, dont les résultats sont publiés en 1871, apportent la preuve qu'il existe une force psychique.

En 1889, un Allemand, Max Dessoir, propose le terme de *parapsychologie* pour « caractériser toute une région frontière encore inconnue qui sépare les états psychologiques habituels des états pathologiques ». Pendant longtemps, ce terme de parapsychologie n'a pas été réellement employé, on parlait de *parapsychique*, de *métapsychique* ou encore de recherches psychiques.

En France, Émile Boirac, recteur de l'académie de Dijon, obtient en 1911 un prix de l'Académie des sciences pour un mémoire intitulé *La Psychologie inconnue*, où sont répertoriés divers phénomènes étudiés sur les médiums. C'est à lui que l'on doit le terme de parapsychique.

En 1919, un mécène, Jean Meyer, spirite convaincu, fonde l'Institut métapsychique international de Paris, dont les premiers directeurs, les docteurs Geley et Osty, accomplissent un travail considérable. De grands médiums sont étudiés et font l'objet de sévères contrôles. Avec l'aide de Rudi Schneider, en particulier, le docteur Osty met en évidence l'influence de la substance émise par ce médium sur les rayons infrarouges et la lumière blanche.

D'autres sociétés de recherches se créent pendant toute cette période. À Londres, W. Barrett, F. Myers et H. Sidgwick ont fondé la Society for Psychical Research (1882) dont E. Gurney devient un des membres les plus actifs. Le professeur Charles Richet, l'astronome Camille Flammarion et le philosophe Henri Bergson se succéderont à la présidence de cette société qui compte de très éminents savants. Un peu plus tard, en 1889, une émanation américaine de cette même société deviendra autonome sous la présidence d'un professeur à l'université de Columbia, James Hyslop.

Grand érudit, prix Nobel de physiologie, le professeur Charles Richet publie en 1922 son *Traité de métapsychique.* Ce terme de *métapsychique*, bien qu'il soit détrôné par celui de parapsychologie, est encore plus ou moins employé de nos jours. Il définit, selon son auteur : « une science qui a pour objet des phénomènes mécaniques ou psychologiques dus à des forces qui semblent intelligentes ou à des puissances inconnues latentes dans l'intelligence humaine ». Les phénomènes paranormaux sont divisés en deux catégories : phénomènes *objectifs*, matériellement vus, observés par des témoins indiscutables, et phénomènes *subjectifs* ou psychologiques, pour lesquels le professeur Richet suggère une méthode statistique. Une méthode qui sera employée ultérieurement par le professeur J.B. Rhine dont les études feront date dans l'histoire de la parapsychologie.

En même temps que se déroulent tous ces travaux, des médecins et des psychologues étudient l'hypnose et tentent d'explorer l'inconscient. C'est le cas du docteur Charcot qui, entouré d'une pléiade de disciples à l'école de la Salpêtrière, affirme soigner ses patients hystériques en les hypnotisant. Traduites dans toutes les langues, ses leçons ont un immense retentissement qui ne dure pas. À sa mort, en 1892, ses travaux sombrent dans l'indifférence.

À Nancy, le professeur Bernheim a pris la tête d'une école rivale où, avec le docteur Liebault, il enseigne la méthode de la suggestion à l'état de veille qui nie l'existence du fluide et du magnétisme animal.

Aux alentours de 1897, Myers et Ochorowicz, un savant polonais, mettent l'accent sur les premières notions de *subconscient* et de suggestion mentale.

*La méthode statistique avec le professeur Rhine.*

La longue histoire dont nous n'avons fait qu'esquisser les étapes les plus importantes montre qu'au fil des ans, la métapsychique a été soumise à des procédés d'investigation analogues à ceux des autres disciplines scientifiques. Sans la métapsychique, la parapsychologie contemporaine n'existerait pas. C'est lorsque les psychologues commencèrent à s'intéresser aux travaux des pionniers de la métapsychique que la parapsychologie prit corps. Comme son nom l'indique, elle est en effet une extrapolation de la psychologie. Cette nouvelle manière d'aborder les phénomènes paranormaux voit le jour aux États-Unis.

J.B. Rhine et sa femme Louise étaient encore étudiants à l'université de Chicago quand ils s'initièrent à la métapsychique. Devenu titulaire d'une chaire de philosophie et de psychologie à l'université Duke (Caroline du Nord), le professeur Rhine décida d'abandonner la philosophie pour se consacrer uniquement à la psychologie et travailler à ses recherches psychiques. Avec ses élèves, il entreprit des expériences systématiques de télépathie et de clairvoyance. Reprenant la suggestion de Charles Richet, il se proposa de vérifier la réalité des phénomènes paranormaux à l'aide de la statistique.

Il s'agissait de procéder à des milliers d'expériences avec des sujets volontaires aussi différents que possible : enfants, adultes, malades, etc.

Si un facteur constant même faible était mis en évidence tout au long de ces expériences, on pouvait admettre que les résultats obtenus n'étaient pas le fruit de simples coïncidences. Pour la plupart de ses recherches, Rhine utilisa des cartes de Zener, du nom d'un de ses assistants qui les avaient inventées. Les travaux quantitatifs de Rhine ont permis d'établir, d'une manière en quelque sorte objective, la réalité de la connaissance paranormale, autrement dit du phénomène psi. De plus, ils ont fourni une méthode donnant à chacun la possibilité de constater cette réalité.

Les innombrables expériences réalisées avant Rhine en matière de télépathie et de clairvoyance, généralement sur le plan qualitatif, corroborent l'existence d'une faculté métagnomique [1] chez l'être

---

1. D'après Robert Tocquet : « Connaissance soit de choses sensibles, soit de pensées normalement inaccessibles à l'esprit, soit d'événements à venir. »

humain. La méthode statistique n'est pas la seule valable, elle n'est qu'un moyen d'approche parmi tant d'autres des phénomènes paranormaux. Comme le souligne l'écrivain-journaliste René Sudre, « cette méthode n'a fait que parachever une démonstration qui avait été faite en Europe au cours d'un demi-siècle ».

En 1935, fut créé le Laboratoire parapsychologique de l'université Duke dont Rhine, devenu complètement indépendant, prit la direction. Deux ans plus tard, il publiait un très important ouvrage intitulé *New Frontiers of the Mind*. La publication régulière de ses travaux dans *The Journal of Parapsychologie* a beaucoup contribué à l'extension des recherches qui se poursuivent actuellement sur tout le territoire des États-Unis. On peut dire enfin que c'est grâce à l'emploi de la méthode statistique que la parapsychologie est aujourd'hui inscrite au programme d'un certain nombre d'universités du monde entier.

# LA PARAPSYCHOLOGIE DANS LE MONDE [1]

*En Angleterre :*

Le « quartier général » de la parapsychologie est situé à Londres. Il s'agit de la Society for Psychical Research qui poursuit ses activités depuis 1882. Une société estudiantine travaille également à Cambridge.

Ancien collaborateur de Rhine, le professeur Soal (mort en 1975) a découvert les effets de déplacement en télépathie : retard ou avance réguliers avec lesquels le sujet récepteur capte la pensée du sujet émetteur lorsqu'il ne la capte pas au moment où elle est émise.

Dans les années 50, une équipe de chercheurs dont Leonard Evans et John Beloff, de l'université d'Edimbourg, obtinrent, selon eux, des résultats probants en essayant d'agir par la volonté sur le taux de désintégration des substances radioactives.

À l'Université d'Oxford, Sir Alister Hardy, professeur de zoologie, analyse le rapport des phénomènes télépathiques avec les expériences religieuses.

Au Birbeck-College de Londres, le professeur J.B. Hasted étudie le pouvoir de l'esprit sur la matière *(psychocinèse)* en l'expérimentant avec de jeunes Anglais.

---

1. À la fin de cet ouvrage, nous donnons les adresses des principales sociétés parapsychologiques du monde.

*En Belgique :*

La recherche parapsychologique n'est pas reconnue officiellement, des professeurs d'universités de disciplines différentes se sont
regroupés pour travailler en commun.

Psychiatre et psychanalyste, le professeur Dierkens, qui enseigne
la psychologie à l'université de Mons et à l'université libre de
Bruxelles, a créé une Banque des rêves prémonitoires.


*En Bulgarie :*

Comme dans presque tous les pays de l'Est, le terme « parapsychologie » est remplacé par celui de *psychotronique.*

Il existe à Sofia un Institut de parapsychologie et de suggestolo-
gie. Dans cet établissement très officiel, dirigé par le docteur
Lazanov, travaillent des dizaines de chercheurs venus de toutes les
disciplines (biologie, physique, ethnologie, philosophie, etc.).


*Au Canada :*

La parapsychologie, au Canada, s'est plus particulièrement
développée dans la province du Québec, grâce aux efforts de
M. Louis Belanger qui fut, pendant six ans, un des assistants du
professeur Hans Bender. Louis Belanger est professeur, chargé
du cours de *psilogie* à l'université de Montréal. C'est lui-même qui
a inventé le mot *psilogie*, considérant que les anciennes dénomina-
tions comme parapsychologie, métapsychique, psychotronique ou
bio-information étaient trop ambiguës.

Louis Belanger se consacre avec succès à la vulgarisation de la
*psilogie* au Québec, en donnant des conférences et des cours, avec la
collaboration d'autres professeurs de collège ou d'université.


*Aux États-Unis :*

En 1969, la très sérieuse Association américaine pour l'avancement des sciences a reconnu la parapsychologie comme l'un des
champs d'investigation scientifique. La célèbre anthropologue Mar-

garet Mead, convaincue de l'existence des phénomènes psi a joué un rôle important dans cette décision.

Les recherches se poursuivent dans la plupart des universités convaincues par les travaux du professeur Rhine.

Un médium exceptionnel, Mrs. Garrett, a créé la Parapsychology Foundation Inc. qui encourage les recherches dans le monde entier. Présidente de la fondation, elle organise des conférences internationales très suivies par les parapsychologues.

Mrs. Gertrude Schmeidler, professeur de psychologie au City College de New York, s'attache à démontrer statistiquement que ceux qui croient à la perception extrasensorielle obtiennent davantage de résultats positifs que les sceptiques. Elle appelle « moutons » les sujets partisans de la parapsychologie et « chèvres » ceux qui y sont opposés.

À Los Angeles, le docteur Thelma Moss, un des parapsychologues les plus écoutés des États-Unis, qui exerce des fonctions de psychologue médical à l'Institut neuropsychiatrique de l'université de Californie (U.C.L.A.), étudie les rapports qui peuvent exister entre divers états émotionnels et la perception extra-sensorielle. Elle tente de mettre en évidence l'influence du psychisme sur l'électrophotographie (effet Kirlian).

Enfin, la parapsychologie a conquis des dimensions spatiales puisque le cosmonaute E.D. Mitchell, lors du vol d'Apollo 14, réussit des expériences de télépathie avec un sujet resté au sol. La N.A.S.A. (National Aeronautic and Space Administration) poursuit d'importantes recherches dont un grand nombre restent secrètes.

Il ne s'agit là que de travaux parmi tant d'autres, car on n'en finirait pas d'énumérer tous ceux qui sont entrepris d'un bout à l'autre des États-Unis où la parapsychologie est étudiée sous tous ses aspects.

*En France :*

Dans un pays où un précurseur comme Charles Richet a eu le mérite d'ouvrir la voie aux chercheurs, on peut déplorer que la parapsychologie ne soit pas encore officiellement étudiée.

Depuis sa fondation en 1919 par Jean Meyer, l'Institut métapsychique international, pourtant reconnu d'utilité publique, poursuit ses travaux à titre privé avec de petits moyens. Devenu président de cet institut en 1950, René Warcollier avait choisi de consacrer ses études non pas à des médiums mais à des sujets sans dons particuliers. On lui doit entre autres un intéressant ouvrage intitulé *La Télépathie*. C'est actuellement le docteur Marcel Martiny, président de l'Association d'anthropologie de Paris, qui assume la présidence de l'institut. Robert Tocquet, auteur de nombreux ouvrages sur la parapsychologie, spécialiste de la prestidigitation est l'expert du contrôle des phénomènes physiques de la métapsychique au sein des commissions.

À Bordeaux, l'Association bordelaise d'études métapsychiques fondée par l'ingénieur René Pérot poursuit ses recherches. De leur côté, le docteur J. Barry et M. Clauzure étudient les rapports entre les végétaux et la parapsychologie ainsi que les phénomènes de psychocinèse.

M. Lignon de l'université de Toulouse-Mirail a formé un groupe interdisciplinaire d'études statistiques et d'expériences de phénomènes paranormaux.

À Nanterre, des étudiants ont constitué un Groupe d'études et de recherches parapsychologiques (G.E.R.P.) dans l'espoir que ce domaine de la connaissance sera, un jour, reconnu à l'université.

*En Inde :*

C'est le pays par excellence où les facultés paranormales ont droit de cité depuis des siècles, les yogis s'entraînant très sévèrement pour les acquérir. Les études scientifiques et expérimentales y sont, par contre, d'origine récente.

Une section de psychologie et de parapsychologie a été créée à l'université d'Andhra. Elle est dirigée par le docteur K. Rao qui a suivi des stages répétés à l'université Duke aux États-Unis.

*En Israël :*

À Jérusalem, le docteur Berendt préside Israel Parapsychology Society.

Différentes recherches se poursuivent également à Tel-Aviv.

*En Italie :*

La première Société d'études psychiques fut créée à Milan en 1901 par le docteur Mazorati.

Il fallut attendre 1937 pour que naisse à Rome la Société italienne de métapsychique reconnue par le gouvernement. Après la guerre, en 1946, un groupe de chercheurs dirigé par le professeur Cazzamalli fonda l'actuelle Société italienne de parapsychologie.

Au Vatican, à l'université pontificale du Latran, on poursuit des études sur les guérisons miraculeuses et les facultés psi, sans toutefois rejeter l'hypothèse d'une éventuelle intervention divine. C'est le R.P. André Roesch qui, après avoir séjourné un an à l'université Duke, dirige les recherches. Tous les phénomènes mystérieux reconnus officiellement par le Vatican portent le nom de *paranormalogie.*

À Gênes, siège l'Association italienne scientifique de métapsychique, présidée par l'ingénieur Mengali. Elle publie la revue *Metapsychica,* particulièrement riche en informations.

À Bologne, il faut citer également le Centre d'études parapsychologiques dont la revue, les *Cahiers de parapsychologie*, paraissent sous la direction du parapsychologue français bien connu René Pérot.

*Aux Pays-Bas :*

Il existe une chaire de parapsychologie à l'université d'Utrecht depuis 1953. Le docteur Tenhaeff, qui l'occupa, réalisa des expériences importantes avec le grand médium Gérard Croiset.

À l'université d'Amsterdam, on poursuit des recherches concernant l'influence des drogues sur les perceptions extra-sensorielles.

*En République fédérale allemande :*

Célèbre dans le monde entier, le professeur Hans Bender a fait admettre la parapsychologie à l'Université. C'est à lui qu'a été confiée la chaire sur la psychologie et l'hygiène mentale créée en 1950 à Fribourg-en-Brisgau. Les études s'orientent principalement sur le cas de *Poltergeist* (en allemand : esprit frappeur) qui surviennent spontanément, comme ce fut le cas fin 1967 à Rosenheim, près de Munich.

*En Suisse :*

Il existe plusieurs sociétés de parapsychologie. L'une d'elles siège à Bienne et poursuit essentiellement des recherches sur la psychocinèse.

Une autre travaille à Zurich, sous la présidence du docteur Nageli-Osjord.

À Bâle, le docteur Locher préside la Vereinigung für Parapsychologie, qui édite un bulletin international et organise des conférences.

R. Th. Flournoy, professeur à l'université de Genève, étudia des médiums comme Eusepia Palatino et Hélène Smith dont il analysa le langage inconnu (employé lorsqu'elle était en transes) dans un livre intitulé *Des Indes à la planète Mars.*

À Zurich, C.G. Jung travailla avec le professeur E. Beuler et le docteur von Schrenk-Notzing sur les phénomènes de psychocinèse et de matérialisation du médium Rudi Schneider.

*En Tchécoslovaquie :*

La parapsychologie est étudiée sous le nom de *psychotronique.* Dans la section psychotronique de la Société scientifique et technique, on poursuit des recherches sur la biologie cosmique et le rayonnement biologique.

En 1973, a eu lieu à Prague un Congrès international de psychotronique rassemblant près de deux cent cinquante participants de vingt et un pays : des parapsychologues, mais aussi un très grand nombre de scientifiques de toutes les disciplines. Une Association internationale pour la recherche psychotronique a été constituée sous la présidence de Zdenek Redjak.

*En U.R.S.S. :*

Si de multiples laboratoires officiellement financés étudient la parapsychologie sous le nom de psychotronique, il n'existe pas, à l'heure actuelle, un institut où l'on puisse s'instruire dans ce domaine. Comme dans tous les pays de l'Est, les Soviétiques manifestent moins d'intérêt que les chercheurs américains pour les études statistiques des phénomènes paranormaux. Semblant à priori admettre ces phénomènes, ils s'efforcent plutôt de les expliquer et de leur trouver d'éventuelles applications, en particulier sur le plan militaire.

Certains attribuent le renouveau de la recherche parapsychologique soviétique à l'ex-président Khrouchtchev qui, à l'occasion d'un voyage aux Indes, avait observé des yogis soumis à des expériences scientifiques. Rentré à Moscou, il aurait, dit-on, rassemblé un groupe d'experts à qui il aurait accordé des crédits importants pour effectuer des recherches.

Parmi les pionniers, on peut citer le professeur Leonid L. Vassiliev qui, de 1925 à 1965, a réalisé de nombreuses expériences dans le domaine de l'hypnose télépathique ou de la suggestion mentale à distance. A l'Institut de recherches dans le domaine du Cerveau de Leningrad, le professeur a expérimenté avec des sujets se trouvant à des distances pouvant varier de 25 mètres à 17 000 kilomètres. Il a montré que la télépathie s'insérait dans une nouvelle conception de la physique. À Moscou, le mathématicien Ippolit Kogan, président de l'Institut scientifique et technique des communications radiotechniques et électroniques, a poursuivi les recherches en habituant ses sujets à percevoir des signaux transmis à distance.

À l'Institut pédagogique de Sverdlovsk, le professeur A.S. Novomeysky et ses collaborateurs se sont intéressés aux dons de Rosa Kuleshova, capable de reconnaître des couleurs, les yeux bandés.

Dans le Laboratoire de cybernétique physiologique de Leningrad, le professeur Gulaev a découvert que tous les corps vivants sont entourés d'un faible champ électrostatique.

Semyon et Valentina Kirlian ont mis au point une nouvelle technique basée sur un champ électrique à haute fréquence qui permettrait de photographier en couleurs l'*aura* de tout organisme vivant.

Au Laboratoire de biophysique de l'université d'Alma Ata (capitale du Kazakhstan), le docteur Alexandre Romen et le biologiste Victor Iniouchine ont étudié la nature d'un phénomène tel que l'autohypnose durant lequel, paraît-il, la quantité de plasma biologique (bio-plasma) augmente dans l'organisme. Les recherches ainsi effectuées ont mis en évidence certaines propriétés du bio-plasma permettant probablement à l'homme de faire preuve, à certains moments de sa vie, d'une force et d'une endurance surnaturelles. Il se pourrait que les constructeurs de l'Egypte antique, qui parvenaient à déplacer d'énormes blocs de pierre, aient agi sous l'effet d'une autohypnose.

# 2

# Comment détecter
# vos tendances
# parapsychologiques

Vos facultés psi sont enfouies à l'intérieur de vous-même, certaines plus profondément que d'autres. Elles sont en léthargie et, généralement, vous n'en avez pas conscience. Mais il peut arriver qu'un ou plusieurs événements fortuits vous les aient déjà révélées : vous pensez à un ami perdu de vue depuis longtemps et il vous téléphone, en rêve vous voyez un lit d'hôpital et vous apprenez peu de temps après qu'un de vos proches est tombé malade, etc. Si vous êtes fréquemment sujet à des manifestations de ce genre, vous possédez déjà quelques indications concernant vos tendances para-psychologiques qui vous inclinent, suivant les cas, vers la télépa-thie, vers la prémonition, etc. Toutes précieuses qu'elles soient, ces indications ne sont pas suffisantes. Pour ne pas trop vous éparpiller et perdre de temps, si vous voulez réaliser les expériences qui vous conviennent vraiment, vous devez approfondir votre personnalité psi.

« Connais-toi toi-même et tu connaîtras l'univers et les dieux », disait Socrate. Nous allons donc suivre son conseil, et votre première démarche va consister à :

## Apprendre à vous connaître vous-même

*Comment ?*

En utilisant des sciences d'observation, dont certaines sont très anciennes, qui vont vous permettre de vous découvrir et de mettre au jour vos aptitudes cachées. Vous étudierez donc à l'aide de :

1. la morphologie : votre allure générale ;
2. la physiognomonie : votre visage ;
3. la chirologie : votre main et les lignes qui y sont imprimées.

Vous compléterez ces différentes études par celle de quelques-unes de vos attitudes. En répondant par « oui » ou par « non » à un questionnaire spécialement établi à cette intention.

Le travail que vous allez ainsi effectuer va vous permettre de savoir dans quelle grande catégorie vous vous rangez : celle des *émetteurs* ou celle des *récepteurs* [1]. Suivant votre appartenance, vous pourrez déterminer quelles sont les disciplines parapsychologiques avec lesquelles vous aurez le plus de chances de succès.

Vous êtes *émetteur ?* Essayez l'hypnomagnétisme, la psychocinèse, la télépathie.

Vous êtes *récepteur ?* Tentez la clairvoyance, la prémonition, la psychométrie, et également la télépathie.

---

1. La parapsychologie moderne comprend trois éléments principaux : la *voyance*, la *télépathie* et la *psychocinèse*. En bref, la voyance est la connaissance d'événements non perçus par les sens habituels concernant le passé, le présent ou l'avenir (un seul sujet récepteur) ; la télépathie n'est autre que la transmission de pensée, provoquée ou non, entre deux sujets (un émetteur et un récepteur) ; la psychocinèse est l'influence supposée de la pensée sur une matière inerte ou en mouvement (le sujet est émetteur).

En général, les deux grands principes qui sont à l'origine des phénomènes parapsychologiques sont l'*émission* et la *réception*. Ce sont ces deux termes que, pour des raisons de simplification, nous emploierons dans cet ouvrage et que vous retrouverez parfois abrégés sous cette forme : « E » (émission), « R » (réception).

Certains parapsychologues, et particulièrement les Américains, classent les phénomènes en deux grandes catégories désignées par les termes suivants : E.S.P. (Extra Sensory Perception. Perception extra-sensorielle) et P.K. (Psychokinésie ou Psychocinèse).

Il existe évidemment bon nombre d'autres termes pour différencier certaines expériences, mais, dans tous les cas, selon les analyses actuelles, on est ramené aux phénomènes de base : émission et réception. Ainsi, la radiesthésie dont il n'est pas question dans cet ouvrage peut être classée comme une sorte de « voyance » par détection selon un langage binaire conventionnel. Autrement dit, le radiesthésiste interroge sa baguette ou son pendule dont les mouvements sont interprétés tantôt comme une réponse positive, tantôt comme une réponse négative. (Voir à ce sujet notre *Guide de la radiesthésie*, Stock, 1973).

# ÉTUDIEZ VOTRE CORPS

Dis-moi comment tu es fait, je te dirai qui tu es. Depuis fort longtemps déjà, on sait que notre corps trahit notre personnalité profonde. Les forces intérieures qui nous habitent ont une influence sur notre constitution physique. La science qui étudie, à l'heure actuelle, les relations entre la forme et le psychisme porte le nom de *morphopsychologie*. Pour en établir les bases, de nombreux psychologues ont observé minutieusement différents types d'êtres humains, ont procédé à des milliers de mensurations et ont dressé des statistiques. Parmi les chercheurs qui font aujourd'hui autorité en la matière, on peut citer les noms de médecins comme Sigaud, Mac-Auliffe, Pende, Viola, Vannier, Corman, W.H. Sheldon, etc.

Bien avant que ne soient menées ces études très précises et très fouillées, Hippocrate, dans l'Antiquité, avait établi une classification des tempéraments humains à laquelle se référa la médecine jusqu'au XVIIᵉ siècle. La vérité des types qu'il avait définis est telle qu'elle sert encore de référence aux recherches contemporaines. C'est pourquoi nous vous proposons d'adopter cette classification fondamentale pour entreprendre l'analyse qui vous intéresse.

# À QUEL TYPE APPARTENEZ-VOUS ?

— le lymphatique ;
— le sanguin ;
— le bilieux ;
— le nerveux.

● Examinez en détail les silhouettes que nous vous proposons dans les pages suivantes et lisez soigneusement les descriptions qui s'y rapportent. Étant donné la complexité de l'être humain, il est évident qu'il existe entre les quatre types qui vous sont présentés toute une gamme de types intermédiaires dont vous faites très probablement partie. Néanmoins, à quelques détails près, vous devez pouvoir vous identifier à l'une de nos quatre silhouettes.

● Prenez une feuille de papier que vous diviserez en deux colonnes. A gauche, colonne « E » (émetteur) ; à droite colonne « R » (récepteur). Cette feuille vous servira pour toutes les études qui vont suivre : physiognomonie, chirologie, attitudes et test.

● Suivant la silhouette que vous aurez identifiée comme correspondant à la vôtre, inscrivez un point dans une ou l'autre de ces colonnes. Exemple : vous êtes du type lymphatique, portez un point dans la colonne des « R ».

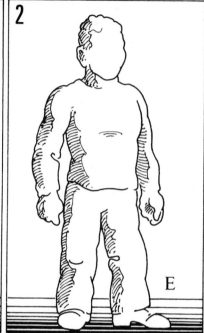

PORTRAIT DU LYMPHATIQUE
(OU FLEGMATIQUE)

PORTRAIT DU SANGUIN
(OU EXPANSIF)

*Allure générale :* Silhouette plutôt massive. Formes arrondies. Tendance à l'obésité.

*Peau :* Blanche, souvent fine, lisse, froide, humide.

*Visage :* Rond ou en poire. Cou massif, court. Tendance au double menton.

*Cheveux :* Fins. Pousse lente.

*Tronc :* Abdomen plus volumineux que le thorax.

*Membres :* Courts. Cuisses bien en chair.

*Squelette :* Ossature légère.

*Psychologie :* Calme, tendance à la nonchalance. Volonté faible. Esprit concret, réaliste, patient, méthodique, peu imaginatif. Aime son confort, ses habitudes et la bonne chère. Volontiers rêveur. Affectueux et fidèle. Caractère docile, influençable, peu émotif.

*Physiologie. — Points faibles :* Système lymphatique et hormonal. Appareil digestif. Troubles psychiques.

*Allure générale :* Silhouette large, souvent trapue mais musclée.

*Peau :* Colorée, chaude. Tendance à la transpiration.

*Visage :* Plein, élargi à la hauteur du nez (forme ovale ou hexagonale).

*Cheveux :* Assez abondants. Tendance à la calvitie précoce.

*Tronc :* Thorax plus développé que l'abdomen. Muscles saillants.

*Membres :* Bien développés, musclés.

*Squelette :* Ossature forte.

*Psychologie :* Énergique, audacieux, entreprenant. Gai, généreux, bon vivant. Esprit positif, enthousiaste mais plutôt superficiel. Assez peu persévérant. Charmeur mais peu fidèle. Caractère impulsif. Tendances colériques et égocentriques.

*Physiologie. — Points faibles :* Système cardio-pulmonaire et circulatoire. Équilibre vagosympathique. Terrain rhumatismal.

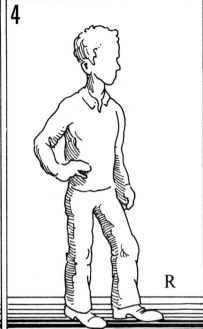

| PORTRAIT DU BILIEUX (OU COLÉRIQUE) | PORTRAIT DU NERVEUX (OU MÉLANCOLIQUE) |

*Allure générale :*
Silhouette plutôt haute, robuste, aux formes anguleuses. Musculation saillante.

*Peau :* Chaude et sèche, mate, tirant sur le jaune. Réseau veineux visible.

*Visage :* Carré ou rectangulaire, traits anguleux.

*Cheveux :* Abondants, souvent sombres.

*Tronc :* Peu étoffé.

*Membres :* Minces, plutôt musclés.

*Squelette :* Ossature forte.

*Psychologie :* Ardent, ambitieux. Orgueilleux, autoritaire, emporté. Esprit de synthèse et de décision, réaliste, très direct, parfois brutal. Sentimentalité faible, tendance à la tyrannie, à la jalousie. Caractère droit, franc.

*Physiologie. — Points faibles.* Système musculaire. Système hépatique et biliaire.

*Allure générale :* Silhouette mince. Taille souvent peu élevée. Apparencé fragile.

*Peau :* Ferme et sèche, mate.

*Visage :* Triangulaire. Front élevé, menton pointu.

*Cheveux :* Fins. Avec souvent une implantation « en pointe » au-dessus du front.

*Tronc :* Plutôt court. Épaules tombantes portées en avant.

*Membres :* Bras et cuisses minces.

*Squelette :* Ossature délicate.

*Psychologie :* Émotif, impressionnable, facilement excité. Esprit d'analyse, ouvert, imaginatif (souvent créatif), introverti, indécis. Sentimentalité vive, mais tendance à l'inquiétude, l'angoisse, la rancune. Masque souvent ses sentiments sous une apparence de froideur. Caractère souvent opiniâtre. Propension à la solitude.

*Physiologie. — Points faibles :* Système nerveux (hypernervosité ou dépression).

# ÉTUDIEZ VOTRE VISAGE

Lorsque vous rencontrez quelqu'un pour la première fois, c'est généralement en scrutant son visage que vous essayez de déterminer sa personnalité. La *physiognomonie*, c'est-à-dire l'art de connaître les hommes d'après leur physionomie, n'est pas nouvelle puisque Aristote la pratiquait. Depuis, quantité de psychologues, de médecins, de biologistes se sont livrés à des études très précises cherchant à déceler dans le regard, dans la forme de la bouche, du nez, des oreilles, des indications trahissant les tendances d'un individu. Un des plus célèbres physiognomonistes connus auquel on se réfère encore aujourd'hui, Johann Caspar Lavater, vivait au XVIIIe siècle. C'est lui le précurseur de la morphopsychologie moderne.

Si les détails de votre visage révèlent vos traits de caractère, ils sont également révélateurs de votre personnalité psi. En passant en revue les différentes parties de votre visage, vous allez peu à peu préciser votre portrait parapsychologique.

● Muni de cet ouvrage installez-vous commodément devant un miroir. Consultez les planches de dessins que nous vous proposons, les unes après les autres. Dans chacune d'elles, cochez : les yeux, les sourcils, la bouche, le front, etc., qui vous paraissent correspondre aux vôtres.

● Totalisez le nombre de « E » et de « R » que vous aurez obtenus. Portez ces chiffres dans la colonne correspondante sur votre feuille de résultats.

# Votre front

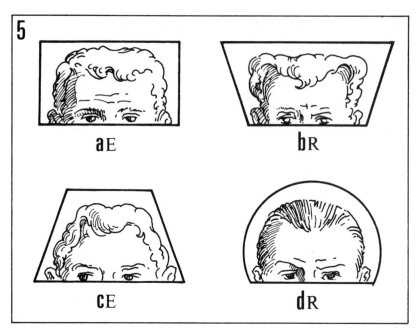

VU DE FACE

(a) Rectangulaire     — E —
(b) En trapèze (élargi vers le haut)     — R —
(c) En trapèze (élargi vers le bas)     — E —
(d) En coupole (haut et arrondi)     — R —

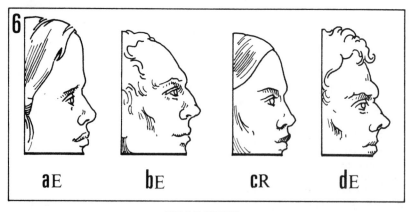

VU DE PROFIL

(a) Vertical     — E —
(b) Fuyant     — E —
(c) Moyennement incliné     — R —
(d) Proéminent aux arcades sourcilières     — E —

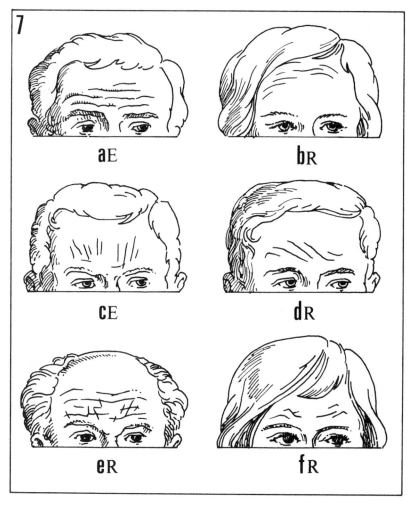

LES RIDES

(a) Parallèles au milieu ou en haut du front          — E —
(b) Parallèles au sommet du front                     — R —
(c) Verticales                                        — E —
(d) Obliques, parallèles                              — R —
(e) Horizontales, barrées par des obliques            — R —
(f) Brisées irrégulières                              — R —

# Vos yeux

(a) Normalement écartés (la distance entre les deux
pupilles est égale à la hauteur du nez)                — E —
(b) Très rapprochés                                    — E —

(a) Saillants, à fleur de tête                         — E —
(b) Enfoncés dans l'orbite                             — R —
(c) Globuleux                                          — E —
(d) Tombants                                           — R —
(e) Paupière couvrante                                 — R —

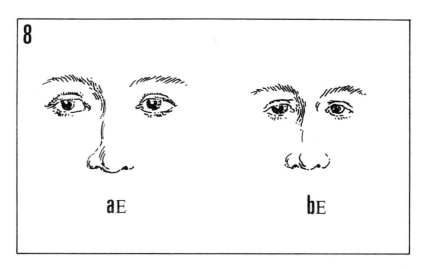

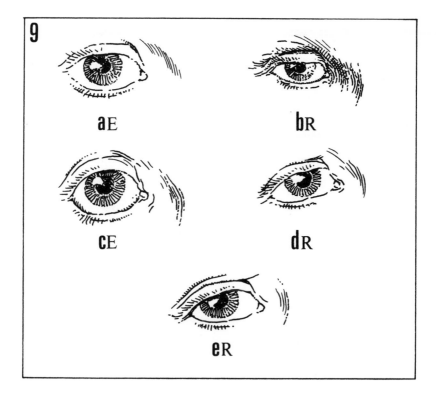

# Vos sourcils

(a) Rares ou absents — R —
(b) Très fournis ou broussailleux — E —
(c) Courts — E —
(d) Longs — R —


(a) Joints au-dessus du nez — E —
(b) Horizontaux — E —
(c) Plongeant aux extrémités — E —
(d) En accent circonflexe — E —
(e) Obliques remontants — R —
(f) Normalement arqués — E —
(g) En demi-cercle — R —
(h) Sinueux — E —
(i) Arqués descendants — R —
(j) Obliques descendants — E —

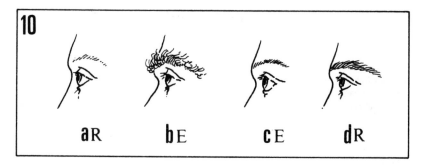

**10**

aR     bE     cE     dR

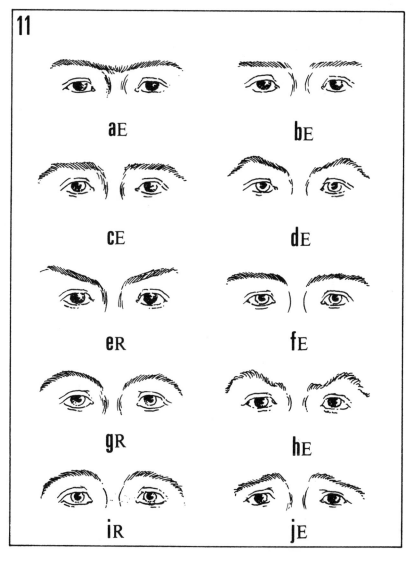

**11**

aE          bE

cE          dE

eR          fE

gR          hE

iR          jE

# Votre nez

| | | |
|---|---|---|
| (a) Long | | — E — |
| (b) Court | | — R — |
| (c) Convexe | | — E — |
| (d) Concave | | — R — |

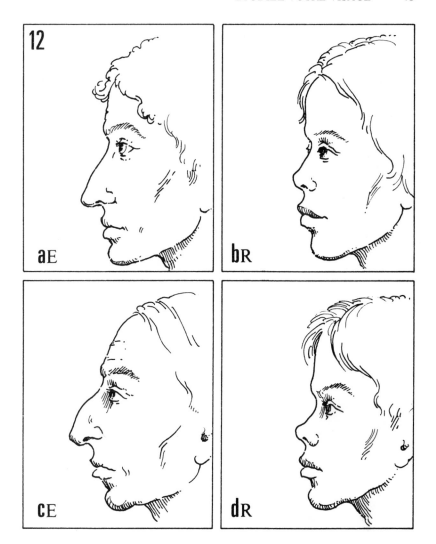

44

# Votre bouche

| | | |
|---|---|---|
| (a) | Saillante | — R — |
| (b) | Pincée | — E — |
| (c) | Petite | — R — |
| (d) | Grande | — E — |
| (e) | Mince | — E — |
| (f) | Charnue | — R — |
| (g) | Commissures tombantes | — E — |
| (h) | Commissures relevées | — R — |
| (i) | Lèvre supérieure débordante | — R — |
| (j) | Lèvre inférieure débordante | — E — |

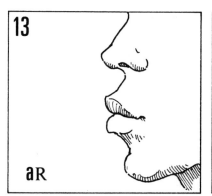

13

aR

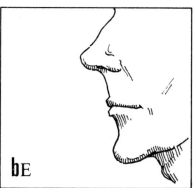

bE

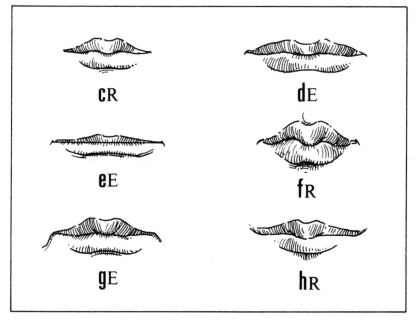

cR

dE

eE

fR

gE

hR

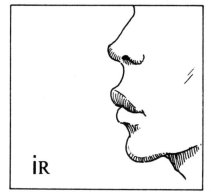

iR

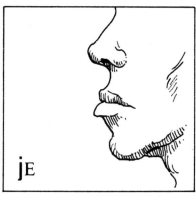

jE

# Votre menton

(a) Saillant                                                    — E —
(b) Rentrant                                                    — R —

# Votre oreille

(a) Arrondie                                                    — E —
(b) Irrégulière, anguleuse                                      — E —
(c) Pointue (faunesque)                                         — E —
(d) Large                                                       — R —
(e) Étroite                                                     — R —

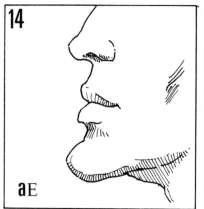

14

aE

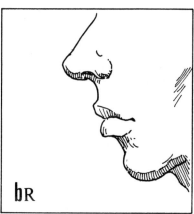

bR

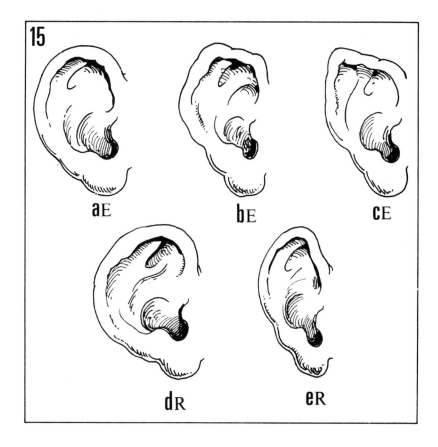

15

aE

bE

cE

dR

eR

# ÉTUDIEZ VOTRE MAIN

Dans le détail, aucune main n'est exactement semblable à une autre. Alors que nous pouvons modifier, comme nous voulons, les expressions de notre physionomie, l'aspect de notre main échappe totalement à notre volonté. C'est pourquoi, depuis les temps les plus reculés, elle a été considérée comme le miroir le plus authentique du caractère et du destin de l'homme. Pendant fort longtemps, les devins, les bohémiens ont gardé jalousement le privilège de « lire dans les lignes de la main ». Cet art essentiellement divinatoire était reconnu sous le nom de *chiromancie*. Il était fondé sur l'intuition.

Aujourd'hui, l'étude de la main fait l'objet d'une science d'observations objective et rationnelle qui porte le nom de *chirologie*.

Suis-je psi ? Mieux encore que n'importe quelle partie de votre corps, votre main peut vous renseigner utilement à ce sujet.

● Déterminez d'abord la *forme* de votre main en la comparant aux différents types de mains que nous vous présentons.

● Consultez ensuite la paume de votre main gauche qui est révélatrice de vos possibilités au jour de votre naissance (la droite montre ce que vous avez fait de ces possibilités au fil des ans).

● En vous reportant à nos schémas, étudiez le tracé de certaines *lignes* de votre main qui sont révélatrices de vos facultés psi.

● Comme dans les études précédentes, totalisez le nombre de « E » et de « R » obtenus. Portez ces chiffres dans la colonne correspondante sur votre feuille de résultats.

# La forme de votre main

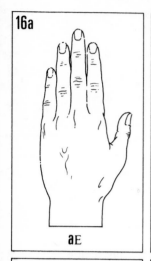

**16a**

**a**E

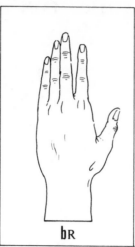

**b**R

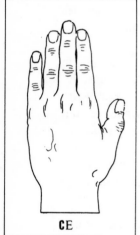

**c**E

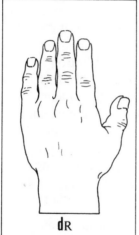

**d**R

(a) Conique et longue, s'affine vers le bout des doigts — E —

(b) Conique et courte, plus allongée, plus pâle que la précédente, moins chaude — R —

(c) Ronde et longue, doigts arrondis. Assez colorée — E —

(d) Ronde, courte et potelée. Blanche ou rose — R —

(e) Carrée,       longue,
    doigts anguleux          — E —
(f) Carrée et courte        - · E —
(g) Spatulée,     longue.
    Doigts noueux            — R —
(h) Spatulée      courte.
    Doigts anguleux          — E —

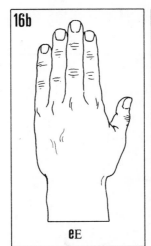

eE

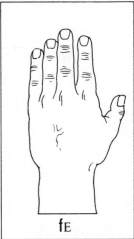

fE

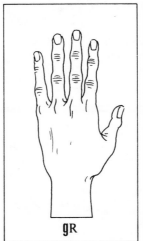

gR

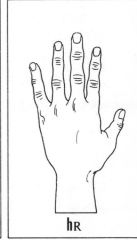

hR

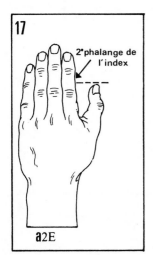

a2E

(a) Pouce large et long attei-
    gnant la deuxième pha-
    lange de l'index           — 2E —

# Les lignes de votre main

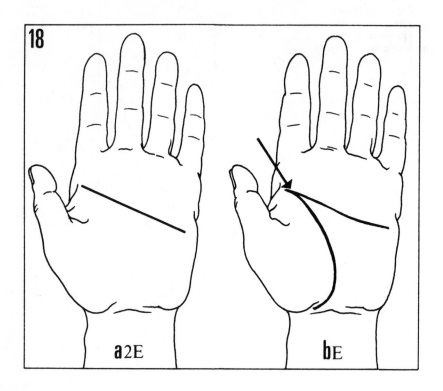

(a) Ligne de tête rectiligne                                                      — 2E —
(b) Ligne de tête reliée à la ligne de vie                                — E —

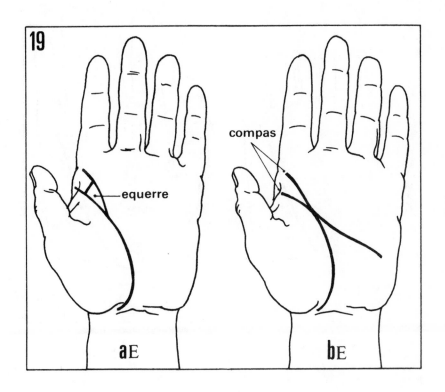

(a) L'équerre
(b) Le compas

— E —
— E —

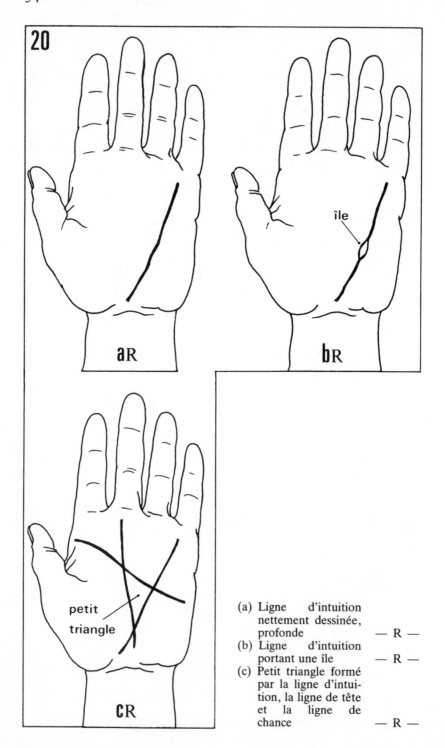

**20**

aR

bR

île

CR

petit
triangle

(a) Ligne    d'intuition
nettement dessinée,
profonde              — R —
(b) Ligne    d'intuition
portant une île       — R —
(c) Petit triangle formé
par la ligne d'intui-
tion, la ligne de tête
et la ligne de
chance                — R —

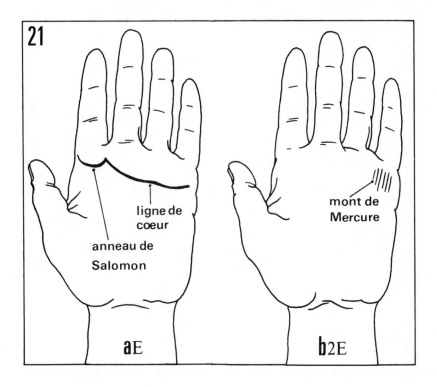

(a) Ligne de cœur se terminant par un anneau encerclant la base de
l'index (« anneau de Salomon »)                                    — E —
(b) Stries verticales sur le mont de Mercure à la base de l'auricu-
laire                                                              — 2E —

# ÉTUDIEZ QUELQUES-UNES DE VOS ATTITUDES

Un certain nombre de psychologues estiment que l'on peut déduire les traits de caractère par l'observation des mouvements du corps. Bien entendu, ces attitudes ou ces gestes révélateurs ne sont ni imitatifs, ni volontaires ; il s'agit de mouvements spontanés effectués sans intention délibérée et qui sont l'expression de nos impulsions inconscientes.

Votre posture dans la vie courante (celle que vous adoptez naturellement quand vous ne corrigez pas votre maintien), votre façon de vous asseoir et la position que vous adoptez en dormant, peuvent vous apporter quelques informations supplémentaires sur votre nature psi.

● Étudiez les attitudes caractéristiques que nous vous présentons sous forme de dessins et cochez celles qui semblent correspondre aux vôtres. Comme il s'agit là d'attitudes inconscientes, il se peut que vous soyez embarrassé pour répondre. Dans ce cas, interrogez votre entourage qui sera mieux à même que vous de connaître votre comportement.

● Comme dans les études précédentes, totalisez le nombre de « E » et de « R » obtenus. Portez ces chiffres dans la colonne correspondante sur votre feuille de résultats.

# Votre posture

(a) Droite. Tête et buste dans le même alignement       — E —
(b) Redressée. Buste en avant. Jambes écartées       — E —
(c) Affaissée. Épaules tombantes. Dos rond       — R —

# Votre station assise

(a) Jambes ouvertes       — E —
(b) Jambes parallèles, genoux joints       — R —
(c) Jambes croisées, un pied ballant       — E —
(d) Jambes croisées, un pied derrière l'autre       — R —

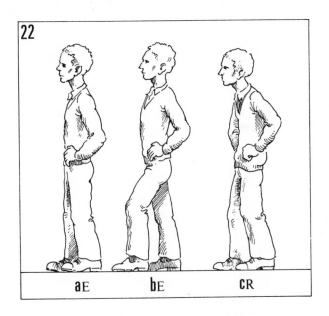

22

aE      bE      cR

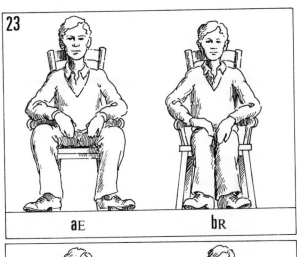

23

aE          bR

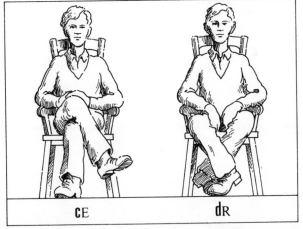

cE          dR

# Votre position pendant le sommeil

(a) Position fœtale
(b) Position semi-fœtale
(c) Position sur le ventre
(d) Position sur le dos

— R —
— R —
— E —
— E —

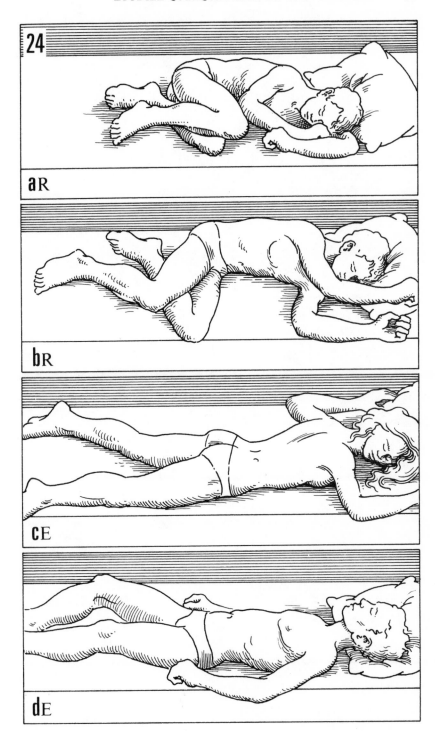

# TEST COMPLÉMENTAIRE

Ce questionnaire va vous aider à compléter votre étude morpho-psychologique. C'est, en quelque sorte, la dernière touche de votre portrait psi.

Les questions de ce test sont destinées à mettre en évidence votre comportement dans certaines circonstances de la vie. Vos réponses permettront d'infirmer ou de confirmer votre tendance parapsycho-logique qui vous porte à être soit un sujet émetteur, soit un sujet récepteur, ou les deux à la fois.

● Répondez spontanément (sans prendre le temps de la réflexion) à chacune des questions ci-dessous par « oui » ou par « non ». Chaque fois que vous répondez « oui », notez la lettre correspondant à la question (« E » ou « R »).

● Totalisez le nombre de « E » et de « R » obtenus. Portez ces chiffres dans la colonne correspondante sur votre feuille de résul-tats.

— Aimez-vous mieux la synthèse que l'analyse ?           — E —
— Pouvez-vous travailler intellectuellement n'importe
   où ?                                                   — E —
— Avez-vous parfois des rêves prémonitoires ?            — R —
— Aimez-vous les déguisements ?                          — R —
— Détestez-vous certains animaux ?                       — R —
— Recherchez-vous les responsabilités ?                  — E —
— Pensez-vous être prévoyant quand vous partez en
   voyage ?                                               — E —

— Vous est-il arrivé d'avoir envie de pleurer
pendant un concert ?                                    — R —
— Êtes-vous capable de tracer une ligne oblique
parfaitement droite sur une longueur de 20 cm ?         — E —
— À la vue d'un arbre, êtes-vous curieux d'en
connaître les racines ?                                 — R —
— Êtes-vous superstitieux ?                             — R —
— Jouez-vous souvent aux jeux de hasard avec
l'intention de gagner ?                                 — E —
— Croyez-vous à l'influence des talismans ?             — R —
— Pouvez-vous garder votre sang-froid au cours d'une
discussion très vive ?                                  — E —
— Aimez-vous la couleur rouge ?                         — E —
— Aimez-vous la couleur bleue ?                         — R —
— Aimez-vous la couleur noire ?                         — E —
— Marchez-vous d'un pas rapide et assuré ?              — E —
— Avez-vous une poignée de main énergique ?             — E —
— Aimez-vous embrasser vos amis ?                       — R —
— Avez-vous peur des rats ?                             — R —
— Êtes-vous doué pour le calcul mental ?                — E —
— Au cours d'une discussion, avez-vous tendance à
taper sur l'épaule de votre interlocuteur ?             — E —
— Aimeriez-vous piloter un avion commercial
classique ?                                             — E —
— Aimeriez-vous piloter le Concorde ?                   — R —
— Aimez-vous l'algèbre ?                                — E —
— Êtes-vous souvent en retard à vos rendez-vous ?       — R —
— Êtes-vous exact à vos rendez-vous ?                   — E —
— Pensez-vous que les hautes personnalités de la
politique ont un tempérament volontaire ?               — E —
— Pensez-vous être tolérant envers les autres ?         — R —
— Avez-vous tendance à couper les conversations ?       — E —
— Quand vous disposez une addition, mettez-vous bien
les chiffres les uns au-dessous des autres ?            — E —
— Si vous possédez une voiture (ou un vélomoteur ou
une moto), êtes-vous souvent tombé en panne
d'essence ?                                             — R —
— Aimeriez-vous être dompteur ?                         — E —
— Aimez-vous les bijoux ?                               — E —
— Avez-vous tendance à saler vos mets avant de les
avoir goûtés ?                                          — E —

— Avez-vous souvent en tête des refrains connus ?        — R —
— Aimez-vous les formes rectangulaires ?        — E —
— Aimez-vous les formes ovales ?        — R —
— Avez-vous de l'influence sur l'opinion de vos amis ?    — E —
— Aimez-vous les chiens de défense tel le berger
  allemand ?        — E —
— La musique militaire vous fait-elle vibrer ?        — R —
— Consultez-vous souvent des dictionnaires encyclo-
  pédiques ?        — E —
— Avez-vous peur des serpents ?        — R —
— Aimez-vous les couchers de soleil ?        — R —
— Avez-vous tendance à claquer les portes ?        — E —
— Vous arrive-t-il de porter des lunettes sombres
  même lorsqu'il il n'y a pas de soleil ?        — R —
— Rêvez-vous en couleurs ?        — R —
— Dans un magasin, avez-vous tendance à acheter ce
  dont vous n'avez pas besoin ?        — R —
— Avez-vous peur de la foule ?        — R —
— Quand vous êtes en groupe, avez-vous tendance
  à rester à l'écart ?        — R —
— Aimez-vous l'art gothique ?        — R —
— Avez-vous éprouvé un sentiment de bien-être en
  visitant certaines églises ?        — R —

# Les résultats de votre étude

## *Votre portrait psi*

Vous avez dressé votre portrait morphopsychologique, étudié certaines de vos attitudes et répondu à notre test complémentaire. Le moment est venu maintenant de totaliser vos points pour l'ensemble de ces études afin de savoir quel est votre potentiel psi émetteur ou récepteur.

|  | Colonne « E »<br>(émetteur) | Colonne « R »<br>(récepteur) |
|---|---|---|
| Excellent sujet .................... | 40 à 47 points | 35 à 43 points |
| Très bon sujet.................... | 30 à 40 points | 25 à 35 points |
| Bon sujet ......................... | 20 à 30 points | 15 à 25 points |
| Sujet moyen ...................... | 10 à 20 points | 10 à 15 points |
| Sujet médiocre.................. | 1 à 10 points | 1 à 10 points |

En fonction de ces résultats, vous allez pouvoir envisager l'apprentissage des disciplines psi qui vous conviennent le mieux. Vous retrouverez, en tête de chaque chapitre consacré à une discipline particulière, les références « E » et « R » (émetteur et récepteur) destinées à vous orienter.

# 3

# Avant toute expérience

Pourquoi avoir fait l'acquisition de ce livre ou l'avoir emprunté à un de vos amis ? Sans doute parce que vous êtes curieux de nature et que vous ne rejetez pas, à priori, l'idée que certains pouvoirs, certaines facultés encore mal connues sommeillent en chacun de nous. Peut-être n'êtes-vous pas entièrement convaincu de l'existence de ces phénomènes mystérieux, mais votre esprit est ouvert à toutes les hypothèses. Que ce soit dans une discipline ou dans l'autre, à des degrés divers, vous avez donc toutes les chances de réussir votre ou vos apprentissages psi.

Notre intention n'est pas de vous convaincre en développant de longues démonstrations mais en vous guidant pour réaliser des expériences simples qui, beaucoup mieux que n'importe quelle littérature, vous permettront de vous forger une opinion personnelle.

*Faire, c'est croire.*

Ce livre est avant tout pratique. Il n'a pas la prétention de réfuter les théories de certains scientifiques qui nient en bloc tous les phénomènes psi et mettent en doute, au nom de la RAISON, l'honnêteté des expériences tentées jusqu'à présent. Pour nous, la clairvoyance, la télépathie, l'influence de l'esprit sur la matière — et d'autres phénomènes plus extraordinaires encore — *existent*. Pourquoi ? Ou bien parce que nous avons personnellement expérimenté dans ces domaines, ou bien parce que nous avons assisté à des manifestations irréfutables des phénomènes en question. Vous le constaterez vous-même, les sceptiques, les railleurs se recrutent toujours parmi les gens qui se refusent obstinément à toute expérimentation. Auriez-vous confiance dans un moniteur d'auto-école qui n'aurait jamais conduit d'automobile de sa vie ?

Nous n'avons donc pas l'intention d'expliquer les phénomènes qui font l'objet de nos exercices. Nous en serions d'ailleurs bien en peine, car les hommes de science de bonne volonté qui se consacrent à cette tâche ne nous fournissent, aujourd'hui, que des embryons d'explications. De minuscules embryons.

Il y a à peine vingt ans, le monde scientifique se partageait en deux clans : ceux qui se désintéressaient de la parapsychologie et ceux qui y étaient franchement hostiles. C'est grâce à des chercheurs isolés qui ont travaillé dans l'ombre, à un petit nombre d'hommes que l'on taxait alors d'« illuminés » ou de « fous », qu'à l'heure actuelle des savants du monde entier s'intéressent enfin au domaine de l'occulte. Des rationalistes forcenés ? Il y en a toujours. Une fois pour toutes, ils ont décidé qu'ils étaient « contre ». Murés dans leur fanatisme, ils s'entêtent à brandir les lois d'une science déjà dépassée et, ce faisant, repoussent toute idée d'évolution. Deux et deux font quatre, ils ne sortent pas de là ! Un objet ne se déplace que s'il est mû par une poussée mesurable, et il est aberrant d'imaginer que l'on puisse lire dans la pensée d'autrui ou prévoir un événement. Pour cette race d'incrédules, le mot « progrès » est à rayer du dictionnaire. Pas question de se projeter dans l'avenir, ils se cramponnent au présent comme s'ils ignoraient la fuite du temps. Sans doute manquent-ils d'imagination au point de ne pas s'apercevoir que ce présent-là s'achemine inéluctablement vers le passé ?

Si des expériences, en général indiscutables, comme celle de Rhine (voir p.16) tirent à ces passéistes des sourires de commisération, il serait peut-être bon de leur rappeler que les grandes découvertes dont ils appliquent aujourd'hui aveuglément les lois ont été jadis tournées en ridicule par des gens de leur espèce. Copernic et Galilée ont eu bien du mal, en leur temps, à faire admettre que la terre tournait autour du soleil. Que de scepticisme Darwin n'a-t-il pas rencontré lorsqu'il a voulu démontrer l'évolution des espèces ! L'énergie atomique... On pouvait encore en rire il y a moins de cent ans. Depuis Einstein, Perrin ou Rutherford, il semble pourtant qu'on la prenne terriblement au sérieux ! L'existence d'une perception extra-sensorielle peut paraître invraisemblable, mais l'invention de la machine à vapeur ou de l'électricité ne l'était-elle pas en d'autres temps ? La vie elle-même n'est-elle pas le comble de l'étrangeté ? Et pourtant, il ne viendrait à personne l'idée de la nier.

Il n'est donc pas interdit de rêver que, demain peut-être, l'étude de la parapsychologie ouvrira une ère nouvelle qui nous entraînera loin, très loin des sentiers battus d'un rationalisme trop outrancier.

Si vous avez ce livre entre les mains, c'est que vous êtes décidé à vous informer. Nous nous proposons de vous y aider dans la limite de nos propres connaissances. Et comme celles-ci ont été acquises à force d'expérimentations, nous voulons vous apprendre à *agir*, ce qui, d'après nous, est le meilleur moyen de se convaincre de la réalité des faits.

Dans les pages qui suivent, vous trouverez fort peu de théories explicatives ou de statistiques, encore moins de courbes ou d'étalonnages, mais des techniques vous permettant de pratiquer certains exercices. Si, après avoir expérimenté, notre passion vous gagne, libre à vous de vous plonger dans l'étude de documents qui vous apporteront d'autres formes de connaissance. (Voir *Bibliographie*, p. 241).


**Pour pratiquer les exercices...**
Il est **très important de savoir** que :


— VOUS POUVEZ ET DEVEZ RÉUSSIR un minimum d'expériences.


Les pouvoirs psi ne sont pas l'apanage de personnes que certains jugent anormales ou que d'autres estiment favorisées tels que les médiums, les voyants, les yogis, etc. La parapsychologie moderne l'a prouvé : tout être humain possède ces facultés, de même qu'il possède la faculté de lire, d'écrire, de dessiner, de jouer d'un instrument de musique, etc. Tout enfant qui vient de naître — à moins qu'il ne soit gravement handicapé — détient ces trésors qu'il fera fructifier plus tard à des degrés divers, suivant l'éducation qu'il aura reçue et les aptitudes plus ou moins grandes qu'il montre dans un domaine ou un autre. Alors que les uns seront à peine capables d'écrire leur nom, d'autres deviendront écrivains. N'importe qui peut crayonner ou barbouiller une toile, avec plus ou moins de bonheur, sans être pour autant l'égal d'un Ingres ou d'un Renoir.

Vos facultés extra-sensorielles sont assoupies à l'intérieur de vous-même, il ne tient qu'à vous de les réveiller, de les fortifier. C'est une éducation comme une autre. N'allez pas croire, parce que vous l'entreprenez, que vous deviendrez forcément un voyant célèbre ou un médium extraordinaire. En découvrant la réalité psi, vous serez déjà largement récompensé de vos peines.

Toutes les facultés psi se développent à force d'entraînement. Connaissant vos tendances générales émettrices ou réceptrices (voir *Portrait psi,* p.66), c'est à vous maintenant de préciser la discipline qui vous convient le mieux pour obtenir des résultats sinon brillants, du moins très convaincants.

Pour réussir ? Pas d'autres secrets que ceux qui font leurs preuves dans votre vie quotidienne quand vous vous êtes fixé un but à atteindre : *volonté, travail, persévérance.*

— VOTRE RÉUSSITE DÉPEND DE :

1. *Votre préparation mentale.*

Votre esprit doit être *ouvert*, débarrassé de toutes idées préconçues. Oubliez résolument tout ce que vous avez pu voir, lire, entendre sur le sujet. Pour réussir, il faut *croire* à la réalité des phénomènes ou du moins admettre qu'ils sont possibles. Abordez les exercices que nous vous proposons avec un esprit neuf, en étant persuadé que vous expérimenterez avec succès. C'est là une condition essentielle pour parvenir à des résultats. Ce n'est pas un hasard si des chercheurs, parmi les plus sérieux, comme le parapsychologue Rémy Chauvin, disent avoir obtenu le plus grand nombre de réussites avec des enfants. Lorsqu'ils se soumettent à des expériences, ceux-ci se moquent bien en effet de ce qui est possible ou ne l'est pas ; ils y croient. N'étant pas nourris de préjugés et n'ayant rien à prouver, ils se plient avec une foi totale à ce qu'on leur demande. Et, tout surprenants qu'ils soient, les résultats qu'ils obtiennent ne les étonnent même pas. Pour eux, c'est tout naturel, et ce sont eux qui ont raison.

Vous devez également jouir d'un *bon équilibre affectif.* Vos facultés psi, sachez-le, peuvent être perturbées d'un rien. Les mécanismes inconscients qu'elles font intervenir sont à la merci du moindre trouble affectif. Nos facultés extra-sensorielles sont au moins aussi délicates, sinon plus, que nos facultés créatives. Un romancier qui vient d'apprendre une mauvaise nouvelle a beaucoup de peine à écrire. Trop préoccupé par ses soucis financiers, un peintre parvient difficilement à s'exprimer sur sa toile. Pour expérimenter dans de bonnes conditions, vous devez donc profiter d'une période où vous n'avez aucun problème psychologique important, et vous efforcer de faire table rase des inévitables petits soucis quotidiens. Nous avons tous de bons et de mauvais jours. Choisissez les bons pour mener à bien votre apprentissage.

Un *bon équilibre moral* est aussi indispensable. D'après ce qui précède, vous avez sûrement compris qu'il faut, avant tout, être *positif* pour réussir. Toute force négative que vous portez en vous va à l'encontre du succès. Si vous expérimentez dans le secret désir de dominer les autres ou de leur nuire, votre démarche peut se retourner contre vous et vous valoir un déséquilibre psychique parfois grave. (Voir *La magie*, p.217).

Vous devez avoir l'*esprit en paix*. Renoncez momentanément à votre apprentissage si vous êtes en période dépressive ou simplement angoissé. L'angoisse bloque les capacités affectives et perceptives, et vous n'obtiendriez aucun résultat. Pour réussir, vous devez être calme, serein, parfaitement confiant en vous-même.

## 2. *Votre préparation physiologique.*

Si votre esprit doit être libéré de toute tension, votre corps doit l'être aussi. Un malaise qui vous obsède ne peut que nuire à votre concentration mentale. La machine humaine est extrêmement complexe : le corps et l'esprit sont intimement liés. Une cause psychologique peut entraîner des troubles physiques et vice versa. Vous avez mal à la tête ? Laissez de côté vos exercices, vous les reprendrez le lendemain, quand vous vous sentirez mieux.

Efforcez-vous de travailler toujours dans les meilleures conditions :

— jamais totalement à jeun, mais jamais après un repas trop copieux ;

— le matin de préférence quand vous n'êtes pas encore fatigué ou à la tombée du jour, après vous être reposé ;

— choisissez un endroit calme où personne ne viendra vous déranger ; dans une atmosphère ni trop froide ni surchauffée.

Dans ce domaine, nous ne pouvons vous donner que des conseils d'ordre général. En fait, les conditions de travail favorables varient suivant les individus. L'important est de se sentir à l'aise, calme et détendu. Faites différents essais et adoptez l'ambiance qui vous convient.

— Au début, **si vous n'obtenez que peu ou pas de résultats :**

Ne vous découragez pas, persévérez. Souvenez-vous du proverbe : « C'est en forgeant que l'on devient forgeron. » L'apprentissage des facultés psi nécessite autant d'efforts et de temps que n'importe quel autre apprentissage. Vos échecs ne doivent pas vous rebuter, ils sont absolument normaux. Tout individu qui tente de s'initier à une discipline nouvelle éprouve une certaine appréhension, suffisante pour créer chez lui un léger blocage. Souvenez-vous, par exemple, de votre maladresse quand vous êtes monté pour la première fois sur une bicyclette ou quand vous avez appris à conduire une automobile. La moindre tension est une entrave à votre détente et, par conséquent, à votre développement psi.

Si vous n'obtenez vraiment aucun résultat au bout d'un long temps d'apprentissage en ayant essayé différentes disciplines, interrogez-vous. Votre travail psi est peut-être pour vous une source de conflits intérieurs ? Il se peut qu'il soit en contradiction avec l'éducation que vous avez reçue ou avec vos croyances religieuses ? Inutile de persévérer si l'étude que vous avez entreprise ne correspond pas à un désir profond cadrant harmonieusement avec l'ensemble de votre vie. Vous ne pourrez jamais développer une activité qui va dans le sens contraire de vos orientations fondamentales : morale, affective, culturelle ou intellectuelle.

Ne vous étonnez pas si les exercices que vous avez réussis seul, dans votre lieu de travail, échouent lorsque vous essayez de les reproduire en public. Seul un sujet très entraîné et maîtrisant ses facultés psi (autant que faire se peut) est capable de réussir de telles expériences. Et encore, pas toujours… Le scepticisme ou l'hostilité d'un tiers créent un climat propre à faire rater n'importe quelle démonstration. C'est la raison pour laquelle tant de parapsychologues appréhendent les expériences publiques. *Si vous considérez les phénomènes psi comme des talents de société, vous allez au-devant d'échecs* qui vous décourageront à coup sûr. Dans ce cas, apprenez des tours de prestidigitation, vous serez moins déçu.

# LES EXERCICES FONDAMENTAUX

**Détente** et **concentration** sont à la base de la réussite pour n'importe quel apprentissage psi. Les deux exercices que nous vous indiquons doivent donc être considérés comme des « gammes » que vous devez répéter inlassablement dans les débuts de votre apprentissage, quelle que soit la discipline envisagée. (Exception faite toutefois pour la faculté de prémonition qui s'exprime spontanément.)

## APPRENEZ À VOUS DÉTENDRE

La détente du corps et de l'esprit est indispensable pour parvenir à l'état de déconnexion mentale nécessaire à la pratique des exercices psi. Votre esprit doit être vide, vos sens fermés à toutes sensations extérieures. Bref, vous devez oublier complètement votre environnement.

● Revêtez une tenue qui ne serre ou ne comprime aucune partie de votre corps. Un pyjama, par exemple.

● Étendez-vous sur un lit, un divan ou simplement sur le sol, les jambes allongées sans raideur et légèrement écartées, les bras reposant naturellement le long du corps, les paumes à plat. Pour ne ressentir aucune sensation de froid, vous pouvez étendre sur vous une couverture légère dont vous ne sentez pas le poids sur votre corps.

● Restez immobile. Ne pensez plus à autre chose qu'à la détente que vous désirez obtenir. Examinez-vous mentalement. Passez en revue chaque partie de votre corps. Vous constaterez que certains muscles sont restés tendus et que vous n'êtes donc pas en repos. N'essayez pas de *vouloir* à tout prix les détendre, vous aboutiriez au résultat contraire !

● Procédez avec ordre. Laissez aller votre tête jusqu'à ce qu'elle pèse naturellement sur le cou. Votre poitrine et votre abdomen : imaginez-les tels qu'ils seraient si les muscles étaient véritablement relâchés. Cette représentation mentale est suffisante : la pensée engendre la réalisation. Faites de même pour votre bras droit, puis votre bras gauche, votre jambe droite, etc.

● L'une après l'autre, chaque partie de votre corps devient pesante. La relaxation est atteinte lorsque votre corps tout entier vous paraît lourd, très lourd, sur le sol ou sur votre couche. Plus vous vous relaxez, plus le rythme de votre respiration se ralentit. Vous devez ressentir une impression de légèreté succédant à la lourdeur, une impression de grand bien-être.

Une bonne relaxation ne s'obtient qu'au bout d'un certain nombre de séances variable suivant les individus. Bien que ce ne soit pas le but de l'opération, elle aboutit parfois à un court sommeil réparateur.

● Pour revenir à l'état normal, contractez à nouveau vos membres, étirez-vous avant de vous relever.

Avec l'habitude, vous parviendrez à vous détendre sans qu'il soit nécessaire de vous déshabiller et sans vous allonger. Assis sur une chaise, vous pourrez vous relaxer à n'importe quel moment de la journée.

APPRENEZ À VOUS CONCENTRER

● Asseyez-vous confortablement dans une pièce faiblement éclairée, loin de tout bruit. Détendez-vous.

● Faites le vide dans votre esprit. Quand vous y êtes parvenu, représentez-vous mentalement une forme géométrique, par exemple un triangle.

• Fermez les yeux afin d'avoir une image très nette du triangle. Ne pensez qu'à cette forme géométrique. Si une autre pensée surgit à votre esprit, chassez-la, revenez au vide absolu, c'est-à-dire à l'absence de pensée, au néant. Pour que l'exercice soit réussi, vous devez obtenir une vision mentale très nette du triangle.

• Répétez cet exercice en utilisant d'autres formes géométriques simples : un rond, un rectangle, un carré. Après quelques jours de cet exercice, utilisez des objets familiers pour vos représentations mentales : une bouteille, un crayon, etc. Quand vous fermez les yeux, vous devez reproduire mentalement l'image de cet objet dans ses moindres détails.

# 4

# La clairvoyance (R)

*Michel Moine raconte...*

J'ai eu l'occasion de fréquenter bon nombre de sujets clairvoyants dont certains sont devenus mes amis. C'était le cas d'une célèbre voyante parisienne aujourd'hui disparue : Mme Lesage. Quelques années avant la guerre de 1939, au cours d'une conversation, elle m'annonça incidemment que je serais un jour prisonnier mais que je m'évaderais avant l'hiver. Il n'était pas question de guerre à l'époque, et je me voyais mal commettant un forfait qui me vaudrait de connaître la paille humide des cachots. Très vite, cette sombre prédiction me sortit de l'esprit. Elle me revint instantanément à la mémoire à la fin de la bataille de France lorsque, effectivement, je fus fait prisonnier par les Allemands. M'évaderais-je ? Cela paraissait peu probable. Les paroles de la voyante me trottant par la tête, je restai pourtant à l'affût et j'eus raison. Peu de temps avant l'hiver, un étrange concours de circonstances me permit de prendre la fuite comme prévu. Moins favorisés que moi, mes camarades passèrent quatre années dans les camps allemands.

Je ne sollicitais jamais les prédictions de Mme Lesage, elles lui venaient spontanément. Une autre fois, alors que nous bavardions, elle s'interrompit pour me déclarer à brûle-pourpoint qu'elle venait de « voir » une jeune femme avec laquelle j'aurais des projets de mariage. « Je la vois, disait-elle, entourée d'animaux : des chèvres, ou plus exactement des cabris. Malheureusement, je dois vous avertir que cette personne n'a que peu de temps à vivre. »

Cinq ans plus tard, je fis la connaissance d'une jeune dessinatrice avec laquelle je me découvris beaucoup d'affinités. Quelle ne fut pas mon émotion quand, un jour, regardant le contenu de ses cartons, je découvris que ceux-ci recelaient quantité de croquis représentant des cabris ! J'étais parvenu à oublier cette détestable coïncidence quand la jeune fille, devenue ma fiancée, tomba gravement malade et mourut. Les obsèques eurent lieu à Villeneuve-le-Roi où, sur le chemin de l'église au cimetière, un cabri ne cessa de gambader autour du corbillard. D'où sortait-il ? Nul ne le sut jamais. Ces faits si particuliers sont pour moi la preuve d'une authentique voyance, car rien, absolument rien, ne pouvait les laisser pressentir cinq ans auparavant.

Une autre voyante parisienne bien connue, M$^{lle}$ Laplace, qui a souvent expérimenté avec le docteur Osty et le docteur Alexis Carrel, prix Nobel de médecine, m'a raconté une de ses plus mémorables consultations. Quelque temps avant que ne se déclenche la Seconde Guerre mondiale, elle recevait un appel téléphonique de l'ambassade d'Allemagne lui demandant un rendez-vous pour « une personnalité diplomatique importante ». Le jour dit, elle voyait arriver M. von Ribbentrop, qui devait devenir un peu plus tard ministre des Affaires étrangères du III$^e$ Reich. Avec beaucoup de sérieux, celui-ci avait sorti une chaussette de sa poche. Cet objet vestimentaire appartenait, dit-il, à un homme politique très influent dont il désirait connaître l'avenir.

La voyante annonça que cet homme détiendrait bientôt une puissance considérable mais que sa carrière se terminerait mal : il se suiciderait. Von Ribbentrop déclara que c'était tout à fait impossible et la pria de se concentrer à nouveau. Comme elle maintenait sa prédiction, il finit par lui révéler que le propriétaire de la chaussette n'était autre qu'Adolf Hitler. M$^{lle}$ Laplace ne broncha pas, si bien que son consultant, exaspéré de ne pouvoir la faire changer d'avis, quitta son cabinet en claquant la porte. Sans doute fut-il convaincu de la réalité des phénomènes de voyance lorsqu'il apprit, quelques années plus tard, la fin tragique de son Führer ?

À Nice, j'ai connu un professeur de lycée, M$^{me}$ M.R..., qui n'était pas une professionnelle de la voyance mais qui, particulièrement douée, acceptait à l'occasion de sonder l'avenir de ses relations. C'est ainsi que, sur la recommandation d'amis, elle reçut un jour la visite d'un consultant venu du sud-est de la France. « Dans deux ans, lui prédit-elle, vous serez à la tête d'une très coquette fortune. » Étonnement du futur capitaliste ! Il n'avait aucun héritage en vue et vivait très modestement des revenus que lui procurait une petite entreprise d'assainissement.

Cette entrevue se déroulait pendant la guerre. M^me M.R... l'avait oubliée, lorsqu'elle apprit par ses amis que son consultant d'autrefois était effectivement devenu un homme fort riche. Et de quelle manière ! Son métier l'avait conduit à vidanger les fosses d'aisance d'un camp de détenus politiques. Avant d'être déportés en Allemagne, les malheureux s'étaient débarrassés où ils pouvaient de leurs biens les plus précieux : bijoux, pièces d'or, etc. L'entreprise de vidange avait recueilli le tout. Un énorme magot dont le nouveau propriétaire pouvait difficilement prétendre que « l'argent n'a pas d'odeur » !

Les parapsychologues définissent la clairvoyance comme la connaissance d'un objet ou d'un événement non perceptibles par les sens normaux. Ils ont remplacé le terme de *voyance* par celui de *clairvoyance* afin qu'il n'y ait pas d'équivoque entre l'étude d'une faculté psi et son utilisation à des fins mercantiles.

S'il n'existe pas, à l'heure actuelle, d'explication rationnelle des phénomènes de clairvoyance, leur existence a été expérimentalement prouvée grâce aux recherches de l'Américain J.B. Rhine [1]. Les dizaines de milliers d'expériences que celui-ci a pratiquées avec des étudiants de l'université Duke ont permis d'établir l'existence d'une faculté de connaissance supranormale en dehors de la connaissance par les cinq sens connus. Dans la mesure où l'on admet que la statistique bien conduite apporte la certitude objective, la découverte de Rhine est indiscutable.

Contrairement à une croyance encore trop répandue, la clairvoyance n'est donc pas — comme la définit d'une manière assez anachronique le dictionnaire Larousse — « un don surnaturel que détiendraient certaines personnes », mais un sens de plus que posséderait chacun d'entre nous. Chez les voyants professionnels

1. En France, le docteur Osty a poursuivi d'importants travaux sur la clairvoyance.

dignes de ce nom (il y a beaucoup de charlatans, hélas ! dans la profession), ce *sixième sens* est exploité, alors que chez la plupart des individus, il est totalement négligé.

La clairvoyance étant un phénomène extrêmement complexe, il peut paraître prétentieux d'apprendre à la susciter au moyen d'une technique simple. Précisons-le une fois de plus : nous ne nous situons pas sur le plan scientifique mais sur le plan empirique. Le fruit de notre expérience personnelle nous permet d'affirmer que tout néophyte de bonne volonté — tel que vous l'êtes — peut se convaincre lui-même de la réalité de la clairvoyance à condition de s'entraîner régulièrement en contrôlant objectivement tous les faits observés.

**Avant d'expérimenter :** Sachez que la faculté de clairvoyance que vous souhaitez développer nécessite un long entraînement et qu'elle n'est pas infaillible. La multiplicité des théories et des hypothèses dont elle est l'objet n'a guère facilité sa pratique jusqu'à présent. Chaque voyant possède une méthode qu'il croit supérieure à celle de ses concurrents, et on a bien souvent confondu les accessoires, les *supports* (boule de cristal, cartes, marc de café, etc.) avec l'objet principal du phénomène qui n'est autre que la puissance psychique de l'individu, c'est-à-dire son esprit.

Votre esprit doit être discipliné, éduqué par une technique. Celle que nous préconisons ne se prétend pas supérieure à une autre. Son principal avantage est de ne pas tomber dans le travers qui consiste à « mettre la charrue devant les bœufs ». Si vous aviez hérité d'un violon et que vous ne sachiez pas en jouer, vous viendrait-il à l'idée de vous produire dans un concert ? On ne peut prétendre jouer d'un instrument d'une manière valable si l'on n'a pas appris et répété inlassablement ses gammes. C'est dans cet esprit que nous avons conçu cet apprentissage de la clairvoyance.

La clairvoyance est une faculté psi *réceptive*. Si vous avez choisi d'expérimenter dans ce domaine, c'est que votre portrait psi (voir page 66) vous a défini comme étant un sujet *récepteur*. La plus grande partie des exercices auxquels vous allez vous livrer constituent aussi un excellent entraînement pour toutes les disciplines qui sont du domaine de la réceptivité : prémonition, psychométrie, télépathie (sujet récepteur). En effet, tous ces phénomènes que la parapsychologie moderne réunit sous le concept de la *perception extra-sensorielle* (E.S.P.) sont souvent intimement liés, ce qui rend difficile leur dissociation.

# LES EXERCICES

*La clairvoyance :* ÉTAPE PRÉLIMINAIRE

Comme nous venons de le voir, chacun pratique la clairvoyance à sa façon, en adoptant les *supports* qui lui conviennent : boule de cristal, cartes, marc de café, taches d'encre, etc. Ce qui fait la complexité du phénomène de clairvoyance, ce ne sont pas les méthodes employées qui sont accessoires, mais les multiples orientations qui peuvent être envisagées dans l'exercice de cette faculté psi. Il existe, en effet, une multitude de formes de voyance : dans le passé, dans le présent, dans le futur, voyances relatives à une seule personne, à plusieurs, etc.

Nous ne pourrons pas, vous le comprenez bien, vous initier à toutes les formes de voyance, mais nous vous guiderons pour exercer certaines d'entre elles au fur et à mesure des étapes de cet apprentissage.

*But des exercices.*

Il s'agit de vous apprendre à ne pas confondre les véritables phénomènes de clairvoyance avec certaines manifestations qui peuvent y ressembler. Assez fréquentes dans la vie courante, ces manifestations, qui ne sont pas de la véritable clairvoyance, en sont quelquefois assez proches parentes. C'est pourquoi nous avons axé nos premiers exercices sur elles.

Il vous est sûrement arrivé, alors que vous vaquiez à vos occupations quotidiennes, de voir surgir brusquement devant vos yeux une image nette, précise, quelquefois colorée, d'un fait ou d'une personne qui sont sans rapport avec vos activités du moment. La plupart du temps, il ne s'agit pas de clairvoyance mais de la projection brutale d'une image enregistrée dans votre subconscient. Celui-ci en effet travaille sans trêve, même pendant votre sommeil, et ce travail sourd, latent, s'impose parfois en surimpression dans votre vie quotidienne. Ce phénomène particulier n'est pas une *vision* mais une manifestation du subconscient que l'on qualifie en psychologie de *rémanence*.

Autre phénomène fréquent : ce n'est pas une image qui se présente à vos yeux, mais une pensée qui s'impose à votre esprit de façon tout à fait inattendue. Par exemple : vous êtes occupé à remplir un formulaire administratif et, sans qu'il y ait le moindre rapport avec cette occupation, la pensée de votre cousin Alphonse, perdu de vue depuis quinze ans, vous traverse l'esprit. Le lendemain, au courrier, vous recevez une lettre : votre cousin annonce sa visite.

Ici encore, il ne s'agit pas de voyance mais d'un phénomène de *télépathie* qui dénote néanmoins une certaine sensibilité intuitive dont vous pouvez tirer parti pour cultiver votre faculté de clairvoyance.

### 1er exercice.

● On sonne à la porte d'entrée de votre domicile. Avant d'aller ouvrir, prenez quelques secondes pour faire le vide total dans votre esprit. Essayez ensuite (sans que le raisonnement intervienne) d'identifier le visiteur.

● Répétez cet exercice jusqu'à ce que vous obteniez un pourcentage de réussites valable. Pendant plusieurs semaines s'il le faut.

### 2e exercice.

● Chez vous ou à votre bureau, la sonnerie du téléphone retentit. Avant de décrocher le récepteur, prenez quelques secondes pour faire le vide total dans votre esprit. Essayez ensuite (sans que le raisonnement intervienne) d'identifier votre correspondant.

● Répétez cet exercice comme précédemment.

Autre fait courant : vous êtes en conversation avec quelqu'un et, alors que votre interlocuteur commence à peine une phrase, vous formulez sa pensée dans votre for intérieur dans des termes qui sont parfois identiques à ceux qu'il va employer.

Là encore, il ne s'agit pas de clairvoyance, c'est l'*acuité de vos facultés d'observation*, votre *rapidité de compréhension* qui sont en jeu. Vous pouvez aussi avoir fait preuve d'une certaine *intuition*.

De même, il est possible qu'en parcourant des yeux un livre dont vous tournez rapidement les pages, vous ayez — sans fixer vraiment votre attention — l'impression d'avoir saisi dans sa totalité la pensée de l'auteur et acquis la connaissance du sujet exposé.

Une fois de plus, vous n'êtes pas clairvoyant mais doté d'une *intuition très développée* qu'il est bon de cultiver pour exercer votre faculté de clairvoyance.

### 3e exercice.

● Achetez ou empruntez un livre dont vous ignorez tout (vous ne connaissez pas l'auteur, vous n'avez ni lu, ni entendu aucune critique à propos de cet ouvrage). Parcourez rapidement les pages. Lisez sans réfléchir au sens des mots, en sautant parfois des feuillets entiers.

● Votre lecture terminée, faites le vide total dans votre esprit et laisser venir les pensées ou sensations qui se présentent. Pour que l'exercice soit réussi, il faut que votre compréhension du sujet coïncide avec les intentions de l'auteur que vous vérifierez par la suite grâce à une lecture attentive, cette fois-ci, de l'ouvrage.

● Répétez cet exercice aussi souvent que vous le pourrez, avec des livres chaque fois différents. La réussite peut être longue à obtenir, ne vous découragez pas. Dressez une statistique des résultats obtenus. Continuez cet exercice jusqu'à ce que vous obteniez 70 à 80 % de succès. Si vous n'aimez pas du tout la lecture, il est très possible que vous n'obteniez aucun résultat. Dans ce cas, renoncez purement et simplement à cet exercice.

Certaines personnes — dont vous êtes peut-être ? — rêvent parfois d'événements qui se produisent ultérieurement. Il s'agit de *rêves prémonitoires* (voir *La prémonition*, p. 121). Toutefois, certains rêves que l'on pourrait croire prémonitoires, c'est-à-dire apparentés de très près à la clairvoyance, ne sont, en réalité, que *le reflet d'images réelles* enregistrées par le subconscient durant l'activité consciente. Par exemple : vous rêvez d'un accident de voiture et, pendant tous les jours qui suivent, vous tremblez à l'idée que vous-même ou un de vos proches va être accidenté. En réalité, rien ne se passe, et il vous revient à la mémoire que vous avez assisté, peu de temps avant votre rêve, à une collision dont les images ont resurgi pendant votre sommeil. Vous n'avez pas eu un phénomène de voyance, pas plus qu'un rêve prémonitoire.

On dit communément que certains *supports* comme les cartes, la boule de cristal, les taches d'encre, le marc de café, etc., servent à l'éveil de la voyance. C'est vrai…, mais en partie et à certaines conditions.

Tous les voyants professionnels utilisent ces supports, mais, attention ! Tous ceux qui se disent voyants ne s'appuient pas toujours sur une réelle faculté de clairvoyance pour exercer leur métier. Ainsi les représentations imagées des cartes ont une signification symbolique qu'un professionnel de la voyance (ou même un amateur) connaît. La vue de tel ou tel symbole déclenche en lui des réflexes immédiats. Il croit *voir* quelque chose et il ne fait que réciter les interprétations, fragmentées ou totales, enregistrées dans son subconscient et gravées dans son esprit à son insu. Observateur, habitué aux contacts humains, il est presque toujours bon psychologue, ce qui l'aide également à formuler ses prédictions.

Ces voyants sont-ils des charlatans ? Certains, oui. Ne possédant que des connaissances élémentaires sur tel ou tel *support*, ils brodent, disent ce qui leur passe par la tête, souvent n'importe quoi. Ceux-là peuvent être considérés comme des escrocs.

D'autres — ce sont les plus nombreux — ont réellement eu un ou plusieurs phénomènes de voyance qui les ont incités à se lancer dans la carrière. Au fur et à mesure de leurs consultations, parce qu'ils étaient passionnés, ils ont acquis de réelles connaissances symboliques ou psychologiques. Malheureusement, comme les *visions* sont capricieuses et n'apparaissent pas forcément sur commande, ces voyants-là, s'ils veulent gagner leur vie, basent surtout leurs prédictions sur leurs connaissances. Celles-ci sont suffisamment approfondies pour qu'on ne puisse pas les taxer de malhonnêteté.

En fait, ne mériteraient le titre de « voyant » que ceux qui, à force d'entraînement, parviennent à avoir de fréquentes et véritables *visions*. Si le phénomène ne se produit pas, ils en informent leur consultant. On comprend pourquoi les professionnels de cette qualité sont rares ! À noter qu'ils ne sont pas toujours infaillibles aussi. La clairvoyance, qui dépend de tant de facteurs humains, n'a rien à voir avec l'exactitude mathématique. Mais un champion de tennis, même international, est-il toujours vainqueur de toutes les parties ?

En résumé : sachez qu'il est extrêmement difficile d'authentifier une voyance pure qui peut être confondue de bonne foi avec une *réminiscence* ou un *jeu mental*.

En parcourant ces pages, vous venez d'apprendre à différencier la clairvoyance pure de divers phénomènes psychiques dont certains (télépathie, intuition) doivent être cultivés pour développer chez vous la faculté de clairvoyance.

Au cours de cette étape préliminaire de votre apprentissage, vous devrez donc vous exercer en pratiquant les trois exercices pratiques que nous vous avons proposés :

1. On sonne à la porte d'entrée : identifier le visiteur.
2. Le téléphone sonne : identifier votre correspondant.
3. Lecture rapide d'un livre totalement inconnu.

### *La clairvoyance* : PREMIÈRE ÉTAPE

La clairvoyance se manifeste chez celui qui la pratique par un ensemble de *clichés mentaux* qu'il lui appartient d'interpréter. Autrement dit, elle apparaît de façon symbolique, et c'est l'intelligence subconsciente du voyant qui opère les déductions intuitives nécessaires pour rendre intelligible aux autres le phénomène dont il est l'objet. Par exemple : un voyant assure qu'il vous voit malade, probablement opéré. Comment le sait-il ? Il a vu un lit (cliché visuel), a ressenti une douleur corporelle aiguë (cliché tactile) et senti une odeur de chloroforme (cliché olfactif). Son intelligence subconsciente, qui a regroupé toutes ces informations, en a déduit que vous seriez opéré.

Sur le moment, le voyant n'est pas conscient des différents facteurs qui entrent dans sa voyance, il les appréhende globalement. Si vous lui demandez pourquoi il annonce une opération et non une simple maladie, il se rendra compte que c'est la douleur vive qu'il a ressentie, associée à l'odeur du chloroforme, qui l'a conduit à préciser la notion d'intervention chirurgicale.

La formation de clichés mentaux exacts ne s'obtient que par un travail d'enregistrement et de maturation d'images, de souvenirs de tous ordres, dans votre subconscient.

*But des exercices.*

Il s'agit d'emmagasiner dans votre subconscient des matériaux qui serviront à la formation de *clichés mentaux* réels. Plus vos souvenirs seront nombreux et précis, plus votre sens psychologique sera affiné, plus vous aurez de chances de faire des voyances exactes. De même que l'on ne peut concevoir une bonne maison de commerce sans un stock important et varié de marchandises, de même on ne peut concevoir un bon « voyant » sans qu'il soit possesseur, même inconsciemment, d'un très grand nombre de clichés mentaux.

Certaines voyances simples, dont nous reparlerons ultérieurement (ayant trait aux sentiments, à la psychologie, etc.), ne demandent que peu d'efforts préliminaires. Par contre, il existe des voyances de type particulier qui exigent un travail relativement important.

Vous voulez vous spécialiser dans une voyance relative à des questions purement matérielles (lancement d'une affaire, par exemple) ? Vous devrez alors vous documenter sur les organisations commerciales (leur structure, leurs moyens d'action, leur but, leur utilité) soit par des lectures appropriées, soit par la simple vue de bureaux, magasins de vente, schémas relatifs à l'organisation, etc. Bref, vous devrez avoir sur le sujet une vue, sans doute superficielle, mais malgré tout assez vaste et assez nette.

Vous souhaitez faire de la voyance médicale ? Vous devrez avoir des connaissances anatomiques, physiologiques, pathologiques, thérapeutiques. Bien entendu, il n'est pas nécessaire de vous inscrire pour cela à la Faculté de médecine, mais vous devrez avoir parcouru le cycle sommaire des connaissances médicales.

L'interprétation de la voyance se fait ensuite automatiquement, comme un réflexe. Il se produit une sorte de phénomène de résonance entre le consultant et votre propre sensibilité. Nous n'entrerons pas dans des détails ou des explications techniques, mais nous pouvons vous assurer que, si la plupart des voyants avaient subi l'entraînement que nous préconisons, ils commettraient moins d'erreurs.

Voici les exercices de base qui vous permettront de vous entraîner progressivement.

### Enregistrement des sensations gustatives

**1<sup>er</sup> exercice.**

• Dans votre cuisine, consacrez quelques minutes à l'observation de la préparation d'un repas.

• Efforcez-vous de vous souvenir de l'aspect extérieur de différents aliments et du goût qui leur est associé.

• Faites cet exercice pendant 15 jours. Quand vous aurez obtenu de bons résultats, franchissez une étape supplémentaire...

• Achetez un légume ou un fruit dont vous ne connaissez pas la saveur exacte et qui peut être consommé cru, sans aucune préparation. Ce peut être un avocat ou une mangue, si vous n'en mangez que rarement, ou plus simplement une variété de pommes dont vous ignorez si elles sont parfumées, acides ou sucrées. Regardez ce fruit ou ce légume pendant quelques minutes en essayant de le *pénétrer* en pensée.

• Essayez de déterminer mentalement le goût possible de ce fruit ou de ce légume.

• Contrôlez l'expérience. Si vous avez obtenu un bon résultat, c'est que vous êtes spécialement doué pour la clairvoyance, car cet exercice n'est pas facile à maîtriser.

### Enregistrement des sensations tactiles

**2<sup>e</sup> exercice.**

Procédez exactement de la même manière que pour l'exercice précédent.

• Essayez de vous souvenir des sensations ressenties au contact d'un tissu déterminé (coton, soie, laine, etc.), d'un objet usuel quelconque (assiette, couteau, verre, etc.), des meubles ou des ustensiles qui vous sont familiers.

• Faites cet exercice chaque soir pendant 5 jours.

## Enregistrement des sensations visuelles

**3e exercice.**

C'est un exercice qui doit déjà vous être familier, car nous vous avons conseillé de le pratiquer quotidiennement pour apprendre à vous concentrer (voir p. 74), quelle que soit la discipline psi que vous envisagez d'expérimenter. Vous constaterez que l'exercice suivant est un peu plus poussé que celui que vous avez l'habitude de pratiquer.

★ 1re partie :

● Dessinez sur une feuille de papier les figures géométriques suivantes : un cercle, un triangle, un carré, un rectangle.

● Faites le vide total dans votre esprit. Regardez chaque figure sans que le raisonnement intervienne. (Commencez par le cercle.)

● Fermez les yeux. Efforcez-vous de visualiser mentalement le cercle que vous venez de voir. Vous y serez parvenu lorsque vous aurez une vision mentale très nette de cette figure.

● Recommencez la même opération avec chacune des figures géométriques dessinées sur votre feuille.

Lorsque vous aurez maîtrisé cette première partie de l'exercice, abordez-la...

★ 2e partie :

● Dessinez à nouveau sur votre feuille chacune des figures géométriques précédentes en infligeant à chacune d'elles un petit défaut. (Ex. : le cercle n'est pas entièrement fermé, le triangle est amputé à la base, etc.)

● Faites le vide total dans votre esprit. Regardez chaque figure sans que le raisonnement intervienne. (Commencez par le cercle modifié.)

● D'une *manière automatique*, sans que le souvenir ou le raisonnement intervienne, essayez de reproduire sur le papier le cercle, exactement tel qu'il a été modifié. Recommencez toute l'opération (dessin initial, concentration, reproduction) jusqu'à ce que vous parveniez à un résultat.

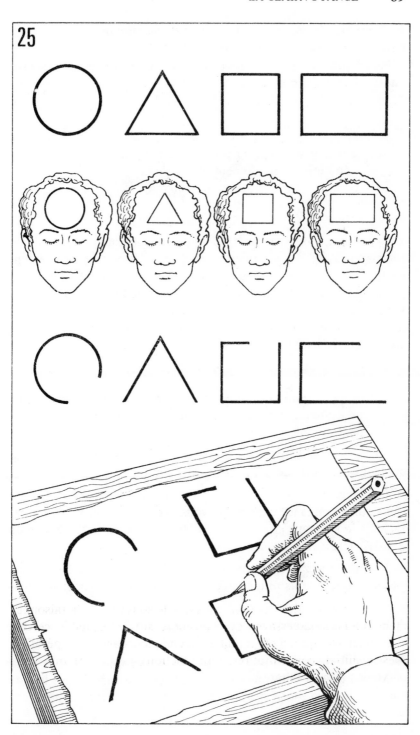

● Continuez l'exercice avec chacune des figures géométriques initialement dessinées sur votre feuille.

Faut-il préciser que si vous vous contentez de *copier* un dessin sur l'autre, l'exercice n'a aucune valeur ?

### 4e exercice.

Vous devez vous procurer pour cet exercice :
— une petite boîte de peintures à l'eau ;
— quelques cartes postales en couleurs.

★ 1re partie :

● Votre boîte de peintures contient probablement les couleurs fondamentales : rouge, bleu, vert, jaune. Procédez exactement comme vous l'avez fait pour la première partie de l'exercice précédent en remplaçant les figures géométriques par ces différentes couleurs. Regardez chaque couleur pendant une ou deux minutes et efforcez-vous de la visualiser mentalement. Quand vous aurez maîtrisé cette partie de l'exercice, abordez-la...

★ 2e partie :

● À l'aide d'un pinceau, faites sur un papier une tache de couleur que vous obtiendrez en effectuant un mélange simple (rouge + jaune, par exemple).

● Faites le vide dans votre esprit. Fixez du regard la tache de couleur ainsi obtenue pendant quelques minutes.

● Reprenez votre pinceau et, sans le secours du modèle, essayez de reproduire la nuance exacte que vous avez observée. Le raisonnement et le souvenir ne doivent pas intervenir dans cette démarche qui doit être *automatique*.

● Recommencez l'opération (mélange, observation, reproduction) jusqu'à ce que vous obteniez le résultat le plus approchant possible.

● Poursuivez l'exercice en mélangeant d'autres couleurs.

★ 3e partie :

● Mettez devant vous une carte postale en couleurs. Faites le vide total dans votre esprit. Fixez la carte du regard pendant quelques minutes.

• Retournez la carte et notez sur une feuille de papier tous les détails concernant cette carte qui viennent sous votre plume (arbres, nuages, maison, bateau, formes, couleurs, etc.). Ces observations doivent se présenter à votre esprit sans que vous fournissiez un effort particulier de mémoire.

• Comparez vos notes avec la carte.

• Recommencez l'exercice avec d'autres cartes postales. Vous aurez maîtrisé cet exercice quand vous aurez, pour chaque carte, le maximum de détails.

★ 4e partie :

• En fin de soirée, quelques heures après le repas (ceci afin d'être dispos), remémorez-vous l'image d'un bureau ou d'une pièce dans lequel vous avez l'habitude d'aller dans la journée.

• Notez sur un papier chaque détail concernant cette pièce qui vous revient à l'esprit. Vous ne devez fournir aucun effort de mémoire particulier.

• Retournez immédiatement ou le lendemain dans la pièce en question. Comparez vos notes avec la réalité.

Vous devez répéter ces exercices destinés à enregistrer des sensations visuelles autant de fois qu'il le faudra pour obtenir de bons résultats. Procédez de façon méthodique et progressive.

IMPORTANT : Pour bien travailler et ne pas vous décourager, n'oubliez pas de tenir compte des divers conseils donnés au chapitre 3 pour réussir les exercices (voir p 73).

### Enregistrement des sensations olfactives

5e exercice.

• Consacrez quelques minutes à l'observation de votre cuisine ou d'une partie de cette cuisine, au moment de la préparation d'un repas.

• Quittez la cuisine. Fermez les yeux et essayez de vous souvenir non seulement des emplacements, des formes et des couleurs de chacun des objets, mais aussi des odeurs dégagées : soupe, rôti, fruits mûrs, etc.

Quand vous évoquez l'image d'un ustensile quelconque, l'odeur qui s'en dégageait doit y être associée.

• Renouvelez l'exercice en observant un certain nombre de lieux différents. Quand vous aurez obtenu des résultats satisfaisants, observez des personnes de votre entourage. (Il est souvent difficile de détecter l'« odeur spécifique » d'un individu, mais il arrive fréquemment que des personnes utilisent toujours le même parfum ou la même lotion et portent des vêtements imprégnés d'une odeur particulière.)

• Faites cet exercice chaque soir pendant 15 jours.

### Enregistrement des sensations auditives

**6ᵉ exercice.**

Procédez toujours de la même façon.

• Choisissez une personne que vous connaissez bien et essayez de vous souvenir du son de sa voix et de ses intonations lorsqu'elle parle. Pensez à une phrase déterminée, courte de préférence, que cette personne a l'habitude de prononcer. Par exemple : « Tout le monde à table ! » ou : « Tu n'as pas vu mes pantoufles ? »

• Variez l'exercice en essayant de reproduire mentalement les bruits de la rue : auto, moto, interjections des vendeurs au marché, etc.

• Faites cet exercice pendant 5 jours.

Les exercices que vous venez de pratiquer vous ont appris à enregistrer, dans votre subconscient, toute la gamme des sensations humaines perçues par les cinq sens (vue, goût, odorat, toucher, ouïe). Cette accumulation de sensations est destinée à enrichir votre subconscient sans encombrer votre mémoire.

Ces exercices avaient un double but :

1. constitution d'un « bagage » subconscient ;

2. déclenchement des facultés prémonitoires qui sommeillent dans votre subconscient. (Partant d'éléments connus, vous vous êtes efforcé de *prévoir* le ou les éléments inconnus de l'exercice.)

Vous n'êtes pas obligé de vous limiter aux seules expériences que nous vous avons proposées. Maintenant que vous en avez compris le principe *(aller du connu vers l'inconnu)*, vous pouvez observer tout ce qui vous entoure dans la vie courante pour multiplier les exercices à l'infini.

Vous vous sentez insatisfait parce que vous n'êtes pas parvenu à maîtriser parfaitement certains exercices ? C'est tout à fait normal. La clairvoyance s'éduque, elle est le fruit d'une longue maturation. Certains d'entre vous vont s'avérer plus doués que d'autres. Il est encore trop tôt cependant pour que vous mesuriez l'étendue de vos dons. Vous percevrez mieux ceux-ci lorsque vous aurez découvert vos tendances personnelles en matière de voyance et déterminé la méthode qui vous convient. Ce sera l'objet de la deuxième étape de votre apprentissage.

### *La clairvoyance :* DEUXIÈME ÉTAPE

Cette étape de votre apprentissage est capitale. Elle va vous permettre de déterminer dans quels domaines vous êtes le plus apte à exercer votre faculté de clairvoyance. Pour la première fois, vous allez tenter de faire de vraies voyances.

### Détermination de vos tendances

Même si vous ne les avez pas tous réussis, les exercices que vous avez pratiqués précédemment vous ont prouvé que votre *sixième sens* existait bel et bien. À ce stade de votre apprentissage, vous êtes comme un élève qui, au sortir du lycée, sait, par exemple, qu'il a des chances de réussir dans une profession scientifique plutôt que littéraire. Oui, mais la science ouvre de nombreux débouchés, quelle profession envisager précisément ?

La clairvoyance offre elle aussi des voies multiples. Laquelle prendre ? Voyances relatives au passé, au présent ou à l'avenir ? Voyances relatives à une seule personne, plusieurs personnes, un objet, plusieurs objets ? Et, en dehors de ces orientations fondamentales, dans quelle « spécialité » avez-vous le plus de chances de réussite : voyance sentimentale, psychologique, médicale, etc. ?

Seule l'expérience peut vous permettre de répondre à toutes ces questions. C'est pourquoi vous allez vous exercer à faire un grand nombre de voyances qui vous serviront à dresser une statistique de vos réussites ou de vos échecs dans les différents domaines. Les chiffres que vous obtiendrez vous guideront pour votre orientation. Vous n'avez comptabilisé que des échecs pour vos voyances dans le passé, mais, par contre, un nombre appréciable de réussites pour celles qui concernent l'avenir ? C'est dans ce dernier domaine que vous devrez déployer vos efforts en tenant compte également de la « spécialité » (voyance sentimentale, médicale, etc.) qui vous convient le mieux.

*Votre feuille de statistiques.*

Préparez-la en vous inspirant du modèle que nous vous proposons ci-dessous. Notez que la liste de voyances que nous vous

| CATÉGORIE DE VOYANCES | NOMBRE | RÉUSSITES | ÉCHECS |
|---|---|---|---|
| Dans le passé | | | |
| Dans le présent | | | |
| Dans le futur | | | |
| Relatives à une seule personne | | | |
| Relatives à plusieurs personnes | | | |
| Relatives à une ou plusieurs personnes | | | |
| Relatives aux affaires | | | |
| Relatives aux sentiments | | | |
| Relatives au diagnostic des maladies | | | |
| Relatives à à la thérapeutique | | | |
| Relatives à la psychologie | | | |
| Relatives aux sensations | | | |
| Relatives aux événements | | | |
| Relatives à une vie | | | |

suggérons n'est pas limitative ; il y a sûrement des domaines où vous souhaiteriez exercer votre clairvoyance qui ne figurent pas sur ce document. À vous de les ajouter. Éliminez, en revanche, les domaines pour lesquels vous n'avez pas d'attirance particulière.

Au fur et à mesure que vous expérimenterez, vous cocherez d'une croix dans les colonnes correspondantes vos réussites ou vos échecs dans tel ou tel domaine.

Bien entendu, votre statistique ne sera valable que si vos expériences sont conduites très méthodiquement. Par exemple, vous tenterez exactement le même nombre d'expériences pour le passé que pour le présent ou le futur. Vous procéderez de même pour les expériences concernant une personne, plusieurs personnes, un objet, etc.

### Vos premières expériences de voyance sur photo

Pour la première fois, il est très probable que vous vous concentrerez mieux sur un document tel qu'une photo plutôt qu'en présence d'un consultant qui risque d'inhiber vos facultés.

● Procurez-vous la photo d'un parent ou d'un ami que vous aurez la possibilité de joindre ultérieurement pour  contrôler votre voyance.

● Avant de tenter votre expérience, veillez à ce que toutes les conditions favorables soient réunies pour sa réussite : bonnes dispositions physiologique, mentale, morale, etc. (voir p. 70 ).

● Installez-vous confortablement dans une pièce plongée dans une semi-pénombre, cela afin de favoriser votre concentration.

● Déterminez avec le plus de précision possible l'orientation de votre voyance. Choisissez, pour ce premier essai, une question très simple. Exemple : À quel endroit mon ami Pierre (que je n'ai pas vu depuis un an) a-t-il passé ses dernières vacances ?

● Tenez la photo de votre ami Pierre en main. *Orientez votre pensée vers l'objet de la recherche en partant de l'élément connu* (votre ami Pierre), *en ayant soin de vous remémorer au départ la question posée* (où a-t-il passé ses vacances ?).

● Fermez les yeux. Restez neutre en pensée. Notez, au fur et à mesure qu'elles se présentent, toutes les images mentales qui surgissent à votre esprit, même celles qui vous paraissent les plus saugrenues.

● Contrôlez votre voyance en interrogeant votre ami Pierre le plus rapidement possible de façon que vos sensations restent présentes à votre esprit.

● Faites au moins trois expériences de ce type par jour pendant 8 jours environ.

Plusieurs cas peuvent se présenter : ou bien vos voyances auront été *directes*, c'est-à-dire que vous aurez vu les faits se dérouler mentalement ou visuellement ; ou bien vous aurez eu des voyances *symboliques* que vous vous efforcerez d'interpréter ou de faire interpréter par la personne que vous aurez mise en question [1]. Par exemple, la vision d'un anneau pourra être le symbole d'une union, l'audition d'une sirène le signal d'un danger, etc.

### Vos premières expériences de voyance avec des consultants

Vous procéderez exactement de la même manière que dans l'expérience précédente.

● Afin d'éviter toute transmission de pensée, demandez à votre consultant bénévole de ne pas vous poser une question relative à un fait qu'il connaît déjà ou dont il peut présumer l'aboutissement. S'il ne connaît pas la réponse à la question qu'il vous pose, il est essentiel cependant qu'il soit en mesure de vérifier la réponse que vous allez lui fournir, cela afin que vous puissiez contrôler l'exactitude de votre voyance. Au début surtout, priez votre consultant de vous poser une question très simple. Par exemple : « Je vais dîner ce soir chez des amis, de quoi sera composé le menu ? » La réponse à ce genre de question peut vous être fournie le soir même ou le lendemain, ce qui vous permet de contrôler rapidement votre voyance.

---

1. Il existe d'autres phénomènes de perception que la voyance directe ou symbolique, mais ceux-ci sont liés dans la plupart des cas à des procédés conventionnels dont nous parlerons ultérieurement.

• Faites asseoir votre consultant en face de vous. Demandez-lui de formuler sa question.

• S'il possède un objet ou un document quelconque se rapportant à l'expérience que vous allez tenter (mouchoir, bijou, photographie, etc., appartenant à une personne concernée par la voyance), prenez-le en main.

• *Orientez votre pensée vers l'objet de la recherche en partant de l'élément connu* (dans notre exemple : le consultant), *en ayant soin de vous remémorer au départ la question posée* (comment sera composé son menu de ce soir ?).

• Fermez les yeux. Restez neutre en pensée. Dès que des images mentales précises se présentent à votre esprit, décrivez-les minutieusement à haute voix.

• Contrôlez votre voyance le plus rapidement possible, en demandant à votre consultant de vous apporter la réponse à la question posée.

• Faites deux  ou trois expériences de ce type par jour pendant environ 8 jours.

• Continuez à expérimenter dans les semaines qui suivent, en abordant tous les domaines de voyance qui vous intéressent.

**TRÈS IMPORTANT :** En faisant ces expériences (sur photo ou avec un consultant), ne perdez pas de vue qu'il s'agit de *tests* destinés à mettre en évidence vos tendances en matière de clairvoyance.

Chaque fois que vous expérimentez, n'oubliez donc pas de prendre des notes très précises (date, heure, circonstances, détails de la voyance) sur l'expérience que vous avez tentée.

Dès que vous avez contrôlé votre voyance, portez les résultats sur votre feuille de statistique. Quand le cycle des expériences sera terminé, il vous sera alors facile, en fonction de vos réussites ou de vos échecs, de déterminer dans quels domaines vous réussissez le mieux. En consultant vos notes de travail, vous pourrez également mettre en évidence les heures et les circonstances qui vous sont les plus favorables pour opérer avec succès.

Les indications que vous aurez obtenues au terme de cette étape de votre apprentissage doivent vous permettre de préciser votre orientation, de connaître la tendance de votre instinct profond en même temps que la source et le sens de vos erreurs.

## Le choix des supports

Les *supports* ? Ce sont des moyens artificiels qui aident à provoquer la voyance. Ils servent, en quelque sorte, d'intermédiaires entre le consultant et le voyant, entre la faculté consciente de l'un et le subconscient de l'autre.

Nous vous déconseillons d'utiliser les supports au début de votre entraînement. Pourquoi ? Parce que l'automatisme psychologique qu'ils provoquent est basé sur une pensée consciente (hallucination, télépathie, autosuggestion, etc.) ou sur une signification conventionnelle qui ne s'accorde pas toujours avec les instincts profonds de l'opérateur. Les voyances risquent alors de ne pas être exactes.

Des supports tels que les cartes, le marc de café, les taches d'encre, les épingles, la boule de cristal, etc., n'ont aucune signification en eux-mêmes. Seuls les *tarots* (voir étude détaillée, p. 106) ont un sens conventionnel que leur accorde la tradition. Tel dessin, telle forme, telle carte signifient tel ou tel événement.

Si vous voulez néanmoins vous documenter sur les supports de la voyance, vous pouvez le faire en consultant des manuels spécialisés qui sont des répertoires de conventions. Tous ces ouvrages se valent. C'est en expérimentant avec divers supports que vous, et *vous seul*, pourrez choisir celui qui vous convient en fonction de vos pourcentages de réussites.

Chaque voyant peut, s'il le désire, se créer un support personnel. Il suffit qu'il attribue une signification précise et personnelle à telle ou telle carte ou à telle ou telle forme. Le support peut être considéré comme valable si, après de multiples expériences, l'opérateur obtient statistiquement des résultats probants.

Les *lignes de la main* ou l'*écriture* sont des supports de la voyance au même titre que ceux que nous avons déjà cités. Les voyants qui les utilisent ne les interprètent pas à la manière du chiromancien ou du graphologue, chacun a ses conventions particulières dictées par l'expérience.

En résumé : nous vous conseillons d'attendre pour employer un support, quel qu'il soit, d'avoir maîtrisé tous les exercices concernant la voyance que nous vous proposons dans ce livre.

*La clairvoyance :* TROISIÈME ÉTAPE

Ayant maintenant expérimenté avec plus ou moins de succès dans de nombreux domaines, vous avez appris à mieux vous connaître en tant que *voyant*. Vous savez comment réagit votre instint selon les différents genres de questions posées. Grâce à votre feuille de statistiques, vous connaissez vos dons personnels. (Chacun de nous a, sans entraînement préalable, une tendance particulière qui lui permet de mieux réussir dans un domaine que dans un autre.)

Si vous voulez augmenter votre moyenne de réussites, vous devez, à ce stade de votre apprentissage, vous perfectionner dans les divers domaines où votre pourcentage de succès est le plus faible. C'est donc le moment d'entreprendre ce travail de perfectionnement.

### Enrichir votre subconscient

Pour réussir là où vous avez échoué, une solution s'impose : pallier au défaut ou à la carence de vos instincts profonds en enrichissant, par un procédé artificiel, votre subconscient d'images et de faits. Mais, attention ! il ne s'agit pas d'user de procédés mnémotechniques, car vous n'aboutiriez qu'à encombrer inutilement et dangereusement votre mémoire qui se substituerait à votre intuition au moment des expériences.

Le travail auquel vous allez vous astreindre est un peu semblable à celui que vous avez fourni en pratiquant le troisième exercice de votre apprentissage (voir p. 83). Supposons que vous ne réussissiez pas la *voyance psychologique* (détermination du caractère d'une personne inconnue de vous, explication de ses réactions devant un événement quelconque, etc.). Dans ce cas, vous lirez le plus possible d'ouvrages concernant la psychologie (traités élémentaires de psychologie, de caractérologie, de sociologie, etc.). Votre but n'étant pas d'enrichir votre pensée consciente (votre intelligence), lisez ces ouvrages *mécaniquement*, sans réfléchir, sans vous attacher au sens des phrases. Lisez comme pourrait le faire un jeune enfant. Parcourez l'ouvrage dans sa totalité, puis relisez-le par morceaux d'une manière distraite en commençant par la fin.

Cette façon de lire n'a rien d'agréable, mais c'est un procédé extrêmement efficace et nécessaire à votre entraînement. Votre mémoire ordinaire n'est pas influencée, ce qui évite l'autosuggestion et, par la suite, les phénomènes hallucinatoires qui sont les principales causes d'erreurs en voyance.

Lisez de cette manière un grand nombre d'ouvrages qui se rapportent aux « spécialités » que vous souhaitez pratiquer avec davantage de succès sur le plan de la clairvoyance.

### Détecter vos causes d'erreurs

D'après vos notes de travail et les résultats de votre statistique (voir p. 66), vous pouvez déjà vous rendre compte de vos erreurs et, peut-être même, savoir pourquoi vous les avez commises.

Quelles sont les principales causes d'erreurs qui vous sont imputables ?

— *Un mauvais état physiologique et mental.* Nous vous avons donné (voir p. 70) divers conseils concernant les conditions dans lesquelles vous devez vous trouver pour opérer avec le plus de chance de succès : estomac léger, endroit calme, corps détendu, esprit serein, etc. Nous insistons, une fois de plus, sur le respect de ces conditions qui est fondamental.

— *L'autosuggestion.* Elle produit presque toujours des phénomènes hallucinatoires que vous pouvez prendre à tort pour des phénomènes de voyance. Tout le système de notre méthode tend à supprimer cette cause d'erreur qui est certainement la plus fréquente. C'est pourquoi, sans craindre de nous répéter, nous vous recommandons d'oublier tout ce que vous avez déjà pu lire, voir ou entendre sur les phénomènes de clairvoyance. Abordez vos expériences avec un esprit neuf.

— *Manque de prédispositions tempéramentales* (instinct non éduqué pour une recherche déterminée). Avant de tenter une expérience nouvelle, n'oubliez jamais de pratiquer les exercices d'enregistrement des sensations relatifs à cette expérience (voir p. 86). Tel un musicien, vous devez exécuter vos gammes avant d'interpréter un morceau, c'est très important.

Certaines causes d'erreurs peuvent être aussi imputables à votre consultant.

Voici celles que l'on rencontre le plus fréquemment :

— *Votre consultant a déjà rendu visite à un ou plusieurs spécialistes de la voyance.* À l'occasion de ces visites, il se peut qu'il ait enregistré dans son subconscient un cliché relatif à la question qui le préoccupe. Et c'est ce cliché que vous captez et qui vous influence. Il s'agit, dans ce cas, d'un *phénomène télépathique* (transmission de pensée).

— *Votre consultant s'est forgé lui-même, consciemment ou inconsciemment, une vision bien déterminée.* Sans le vouloir, il vous apporte une réponse qui n'est pas la bonne.

Pour éviter ces sources d'erreurs, demandez donc toujours au consultant qui vient d'arriver de se relaxer, de chasser toute idée consciente, en un mot de rester neutre. Pour éviter une mauvaise prise de contact, vous pouvez tenter une première expérience sans rapport avec la voyance demandée. Par exemple, alors que vous ne connaissez pas le père de votre consultant, vous essayez de le *voir* et vous le lui décrivez. Immédiatement après, interrogez-le pour savoir si votre portrait correspond à la réalité. Il s'agit là d'une expérience de télépathie plus que de voyance, mais si elle est réussie, vous établirez avec votre interlocuteur une relation subconsciente qui le mettra en confiance.

### Diversifier vos expériences

Vous pouvez faire des voyances qui vous concernent ou qui concernent un consultant, mais, avec la même façon de procéder, vous devez également être capable de :
— rechercher des documents ou des objets perdus ou volés ;
— localiser des personnes disparues ;
— lire un texte caché ;
— interpréter un dessin ou un nombre ;
— retracer l'histoire des faits dont un objet a été le témoin (voir *Psychométrie,* p. 104).

Attendez, cependant, d'être plus expérimenté pour entreprendre de telles expériences dont la difficulté risquerait de vous rebuter.

Quel que soit votre zèle, nous vous recommandons de ne pas tenter plus de six expériences par jour.

**À noter** que la voyance peut se présenter sous d'autres aspects que ceux que nous avons déjà passés en revue. Vous pouvez avoir des *rêves prémonitoires* avec des visions réelles ou symboliques. Mais, comme vous le constaterez en poursuivant votre lecture (voir *La prémonition,* p. 121), tous les rêves ne sont pas prémonitoires, et c'est encore une fois l'observation et la statistique qui vous apprendront si vos rêves doivent être pris en considération.

Certains sujets *écrivent des prédictions de manière automatique* sans le secours de leur conscient. Ce phénomène peut être apparenté à la voyance, mais dans la majorité des cas on a remarqué que l'origine de ces « messages » n'avait rien d'*intuitif*. Ils étaient seulement le reflet d'idées subconscientes sans aucune valeur de prédiction. Cette manifestation, malgré tout, n'est pas sans intérêt. Si beaucoup d'écrits automatiques sont sans valeur, quelques exemples prouvent que certains de ces messages correspondent à des réalités futures. Dans ce cas, on peut penser que le voyant a adopté le moyen qui lui était le plus accessible pour traduire ce que percevait sa faculté de clairvoyance. Sachez néanmoins que pour obtenir avec l'écriture automatique les mêmes résultats qu'avec une voyance directe ou symbolique, il faut s'astreindre à un entraînement méthodique et très sévère.

## *La clairvoyance* : QUATRIÈME ÉTAPE

### La psychométrie

Cette quatrième étape de votre apprentissage est destinée à vous initier à une forme particulière de clairvoyance : la *psychométrie*. En touchant un objet qui lui a été soumis, le clairvoyant a connaissance de ce qui concerne cet objet ; il peut éventuellement fournir des renseignements sur des personnes qui l'ont possédé ou qui, à un moment ou à un autre, se sont trouvés en contact avec lui.

C'est à un Américain, le professeur Buchanan, que l'on doit le terme de *psychométrie* qui est, en réalité, impropre puisqu'il signifie littéralement : mesure de l'âme.

Pour expliquer ce phénomène, un certain nombre d'auteurs parapsychologues parlent de la « mémoire des choses ». Dans ce domaine précis, comme dans bien d'autres concernant la parapsychologie, on en est toujours réduit aux hypothèses. Il semblerait cependant que les objets enregistrent les événements dont ils ont été les témoins et s'imprègnent de la personnalité des personnes qui les ont possédés. Le professeur Buchanan, qui défendait cette théorie, la résume d'une manière très expressive lorsqu'il écrit : « Un caillou pris dans les rues de Jérusalem est une bibliothèque contenant toute l'histoire de la nation juive. »

Dans son *Introduction à la parapsychologie,* R. Tischner raconte diverses expériences de psychométrie qu'il a réalisées avec un médium, aucune personne présente ne connaissant la solution. L'une de ces expériences est la suivante : un petit objet soigneusement empaqueté est remis au médium. Celui-ci décrit ce qu'il *voit :* « Une dame dans une rose, elle a une chaîne au cou, un collier de perles, il s'y trouve quelque chose qui ressemble à une étoile ou une croix..., plutôt une croix. Une dame dans la trentaine, épanouie, cheveux blond roux, qui porte l'orgueil sur son visage. »

Le paquet contenait un rosaire bénit par le pape. L'objet avait été reconnu par le médium sans avoir été nommé. Les renseignements fournis sur sa propriétaire étaient exacts, y compris la notation de caractère, la dame reconnaissant elle-même qu'elle était orgueilleuse. Quelques mois plus tard, on représentait le même objet toujours empaqueté au même médium. Cette fois-ci, il déclara : « Je vois le pape, une forme blanche brillante. »

Cette double expérience, concluante il est vrai, aurait pu cependant être assimilée à un phénomène de télépathie involontaire si, un an plus tard, R. Tischner, en manipulant par hasard le rosaire, n'y avait découvert, au milieu de la croix, une minuscule loupe permettant de voir une image du pape en soutane blanche. Or, lorsqu'il avait eu l'objet en main pour la seconde fois, le médium avait bien souligné qu'il voyait « une forme blanche brillante ». La présence de la loupe étant ignorée de tout le monde, on peut admettre qu'il s'agisait bien là d'un phénomène de psychométrie.

### Pour réaliser une expérience de psychométrie

— Il est essentiel d'utiliser des objets d'apparence banale (mèche de cheveux, mouchoir, bouton, minéral, etc.), à partir desquels il est difficile de tirer des déductions logiques. Vous ne menez pas une enquête policière, et votre raisonnement ou votre psychologie n'ont pas à intervenir dans la recherche.

Cependant, si l'on vous impose un objet d'un caractère particulier, demandez toujours qu'il soit emballé de façon que sa forme ne soit pas décelable. (C'est là un exercice difficile qu'il vaut mieux tenter après de multiples expériences.)

— Aucune personne connaissant peu ou prou l'histoire de l'objet ou son appartenance ne doit être présente au moment de l'expérience, cela afin d'éviter les transmissions télépathiques qui — il ne faut pas se le dissimuler — sont toujours possibles même à distance.

— Demandez à un ou deux témoins parfaitement neutres d'enregistrer les moindres détails de votre voyance.

— Avant d'expérimenter, il va de soi que vous devez respecter toutes les conditions mentales ou physiologiques requises pour ce genre d'expériences (voir p.70).

— Faites le vide dans votre esprit et entrez en contact avec l'objet. Vous pouvez simplement y apposer les mains ; certains expérimentateurs préfèrent le porter à leur front ou sur leur plexus solaire. C'est à vous de déterminer la méthode qui vous convient le mieux.

— Lorsque l'expérience est terminée, entrez en relation avec la ou les personnes qui sont au courant de l'histoire de l'objet, afin de vérifier si vos révélations sont exactes.

Il se peut qu'à première vue vos informations semblent n'avoir que peu ou pas de rapport avec la réalité. Gardez-vous toutefois d'un jugement trop hâtif : il n'est pas rare que des renseignements considérés comme erronés au départ se révèlent beaucoup plus tard conformes à la réalité. Le propriétaire d'un objet ne connaît pas forcément tout ce qui se rapporte à cet objet.

## Les exercices

### 1er exercice : Les tampons d'ouate.

Cet exercice doit être réalisé en présence de trois ou quatre personnes au minimum que vous savez réceptives à ce genre d'expérimentation (voir *Recommandations*, p. 28).

● Munissez-vous d'un paquet d'ouate et d'un nombre d'enveloppes égal à celui des participants.

● Sortez de la pièce et demandez qu'en votre absence chaque personne présente triture un morceau d'ouate qu'il glissera ensuite dans une enveloppe sur laquelle il mettra un signe distinctif peu apparent.

• Quand les enveloppes sont rassemblées, revenez dans la pièce. Choisissez-en une au hasard et procédez comme nous vous l'indiquons précédemment.

Au contact de l'enveloppe choisie, efforcez-vous de tracer le portrait physique mais surtout psychologique de la personne qui a touché le morceau d'ouate. Si vous réussissez à décrire des traits de caractère, des tics ou des manies qui sont propres à cette personne mais ignorés de vous-même et des autres participants, l'expérience sera parfaitement réussie. Pendant que vous opérez, demandez à votre public d'observer la plus grande neutralité d'esprit possible.

### 2ᵉ exercice : Les diapositives.

Cet exercice nécessite un certain nombre de diapositives représentant des paysages très différents (mer, montagne, monuments, etc.), ainsi qu'un projecteur de vues fixes.— Demandez à une personne de votre entourage de projeter, hors de votre présence, une demi-douzaine de diapositives différentes en utilisant à chaque fois une feuille de papier blanc. Chaque projection doit être maintenue trois ou quatre minutes sur la feuille blanche.

• Lorsque l'opération est terminée, revenez dans la pièce. Concentrez-vous comme vous avez l'habitude de le faire en touchant la feuille de papier blanc. Essayez de décrire le paysage qui vous vient à l'esprit en présence de la personne qui a projeté les vues afin qu'elle contrôle votre expérience.

*La clairvoyance :* CINQUIÈME ÉTAPE

Avec cette cinquième étape de votre apprentissage, nous arrivons au terme de votre initiation à la clairvoyance. À plusieurs reprises déjà, nous vous avons parlé des *supports* (voir p. 80) qui sont, en quelque sorte, des auxiliaires du voyant. Parmi ces supports, les cartes et en particulier le *tarot* sont couramment employés. Dans la seule ville de Paris, on estime qu'il y aurait environ 5 000 tireuses de cartes déclarées. Bien souvent ce mode de divination est utilisé au petit bonheur, sans préparation, parfois sans compétence, en se référant à quelques bribes connues d'un code de conventions.

Porteur de symboles millénaires, le tarot est, à notre avis, un des plus intéressants supports de la voyance. Les enseignements qu'il contient — si vous l'étudiez sérieusement — sont de nature à favoriser le développement de votre faculté psi. Les quelques pages qui vont suivre sont uniquement destinées à éveiller votre curiosité, car c'est un ouvrage entier qu'il faudrait si nous voulions vous initier à toutes les subtilités du tarot. Il ne manque pas de documents de ce genre, et nous vous conseillons vivement de vous y référer si vous envisagez d'utiliser ce support pour exercer votre clairvoyance [1].

## Qu'est-ce que le tarot ?

C'est un jeu de 78 cartes ou *lames* utilisé à la fois — comme le jeu de cartes ordinaire — pour la divination et pour le jeu proprement dit.

Le jeu comporte 22 figures originales que l'on désigne sous le nom d'*Arcanes majeurs,* chacune portant un nom et ayant une signification précise (voir p. 108). Sur chaque figure, le moindre détail de forme ou de couleur a une valeur symbolique très précise.

Les 56 *Arcanes mineurs* qui complètent le jeu se répartissent en quatre séries : lames d'Epée, de Coupe, de Denier et de Bâton. Chaque série comprend 4 figures (un Roi, une Reine, un Valet, un Cavalier) et dix lames, de l'As au Dix. C'est des Arcanes mineurs et de leurs quatre couleurs que dérive le jeu de cartes ordinaire.

Il existe maintes variétés du tarot : tarot de Paris, tarot allemand, tarot d'Etteila, tarot de Marseille (ce dernier, très utilisé, semble être le plus fidèle transmetteur de la tradition égyptienne).

## La petite histoire du tarot.

L'origine du tarot demeure obscure. On la devine par raisonnement plutôt qu'on ne la connaît par documentation. Il semble que le tarot soit simplement le raccourci, par symboles, de la science occulte antique à laquelle remonteraient ses origines. Cette simplification de la connaissance universelle est constante chez tous les peuples sous des formes différentes. La forme la plus connue semble être celle qui est née en Égypte sur des bases astrologiques et numérales en liaison avec la Kabbale et l'alphabet judaïque. C'est

1. Voir *Bibliographie.*

donc la Science des Nombres alliée à la Science des Astres qui aurait donné le jour à la série des 22 Arcanes majeurs.

Tout incite à croire que la tradition tarologique, œuvre collective d'antan, aurait été conservée par les bohémiens qui l'auraient déformée plus que réellement modifiée. Les 56 Arcanes mineurs, l'imagerie et le jeu de cartes ordinaire dateraient du Moyen Age.

En France, une légende veut que ce jeu de cartes soit un secret des Sarrasins que la femme de Charles VI aurait acheté pour distraire son royal époux quand il commençait à perdre l'esprit. Certains historiens pensent que les cartes ont été inventées en France, d'autres en Allemagne, d'autres encore en Italie. Funck-Brentano tranche la question en assurant que ce jeu fut introduit en 1379 à Viterbe (Italie) par les Sarrasins qui alors, l'appelaient Naïb. De là, précise-t-il, le jeu se répandit en France. Les noms inscrits sur les cartes varièrent jusqu'au XVIIe siècle où furent adoptés ceux qui sont actuellement en usage.

### Le mystère du tarot

La tarologie (ou divination par le tarot) s'explique par un double phénomène psi. Soit en coupant, soit en tirant les images carton-nées, le consultant qui, bien entendu, doit avoir la foi, actionne son propre subconscient. De cette manière, il désigne inconsciemment les images qui sont autant de représentations des événements à venir. (C'est pourquoi, si on les connaît bien, il est possible, sous certaines conditions, de se tirer les cartes à soi-même.)

C'est seulement en second lieu qu'intervient le tireur de cartes. Il donne l'explication des images suivant leur valeur propre ou suivant leur place. Ici se manifeste le second phénomène psi, car si l'opérateur est bon, les cartes éveillent sa faculté de clairvoyance et le projettent dans l'avenir qu'il entrevoit avec plus ou moins de détails. Le tarot agit donc comme un déclencheur du *sixième sens* dont l'acuité se développe avec la pratique.

## La signification du tarot

Il est assez fréquent que l'on utilise seulement les 22 Arcanes majeurs du jeu de tarot qui sont les plus signifiants. (L'utilisation des Arcanes mineurs est plus complexe et demande des connaissances approfondies.) Nous nous bornerons donc à vous donner, de façon succincte, la signification des lames majeures du tarot.

1. LE BATELEUR (dit aussi le Mage) : indique, d'une façon générale, l'intelligence.
2. LA PAPESSE (Junon dans le tarot italien) : annonce des choses mystérieuses et parfois des dualités.
3. L'IMPÉRATRICE (ou Isis-Uranie) : est une carte générale de fécondité sur tous les plans.
4. L'EMPEREUR (nommé la Pierre cubique) : régit la protection, la stabilité mais aussi la nouveauté, sans quoi on arrive à la stagnation, l'inertie, la décadence.
5. LE PAPE (Jupiter ou encore le Maître des Arcanes) : suppose l'inspiration qui, presque toujours, conduit à la domination.
6. L'AMOUREUX (Arcane des Deux-Routes) : révèle les tiraillements en sens contraire, donc l'hésitation.
7. LE CHARIOT (ou le Char d'Osiris, le Thiomphe, la Victoire) : est la carte de la réussite au moins momentanée.
8. LA JUSTICE (ou la Balance et la Gloire) : représente l'équilibre ou l'instabilité, la protection ou la menace, les tourments.
9. L'ERMITE (ou la Lampe voilée) : signifie circonspection, prudence, silence, recueillement.
10. LA ROUE (ou le Sphynx) : montre des hauts et des bas, un changement très probable dans la destinée.
11. LA FORCE : réalise la confiance en soi et les efforts aboutissants.
12. LE PENDU (ou le Sacrifice) : représente le sacrifice subi ou consenti (expiation). L'épreuve avant le résultat.
13. LA MORT (ou le Squelette faucheur) : évoque la mort mais avec l'idée de renouvellement, de renaissance au physique (réincarnation) ou au moral (transformation).
14. LA TEMPÉRANCE (ou les Deux Urnes, l'Initiative) : invite à freiner, il signale l'arrêt, la stagnation et aussi l'initiative.
15. LE DIABLE (ou le Banc, le Typhon, la Fatalité) : fait craindre une fatalité, une irrésistible tentation.
16. LA TOUR FOUDROYÉE (ou la Maison-Dieu) : laisse entrevoir une catastrophe ou un gros heurt de la destinée.

LE BATELEUR

LA PAPESSE

L'IMPÉRATRICE

L'EMPEREUR

LE PAPE

L'AMOVREVX

LE CHARIOT

LA JUSTICE

L'HERMITE

LA ROUE DE FORTUNE

LA FORCE

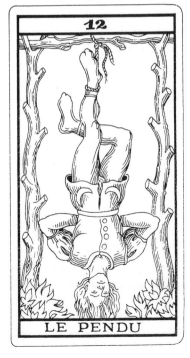

LE PENDU

**13**

**14**

LA TEMPÉRANCE

**15**

LE DIABLE

**16**

LA MAISON·DIEV

L'ÉTOILE

LA LUNE

LE SOLEIL

LE JUGEMENT

17. L'ÉTOILE (ou l'Espérance, l'Astre) : invite à l'espérance en quelque impasse qu'on soit.

18. LA LUNE (ou le Crépuscule) : symbolise les embûches, pièges, déceptions, hostilités, calomnies et trahisons.

19. LE SOLEIL (ou la Lumière resplendissante) : apporte joie, paix, quiétude, bonheur.

20. LE JUGEMENT (ou le Réveil des Morts) : laisse prévoir une surprise, un inattendu quelconque.

21. LE MONDE (ou la Couronne des Mages) : apporte la récompense des efforts, la réussite totale.

22. LE FOU (parfois numéroté 0 et appelé le Mat, le Crocodile, le Chaos) : est l'emblème des chaos de l'âme, de l'inconséquence et des instincts déchaînés.

## Le tirage du tarot

Vous pouvez facilement vous procurer un jeu de tarot chez certains libraires[1], mais vous pouvez aussi confectionner vous-même un jeu réduit composé des 22 Arcanes majeurs dont nous vous conseillons l'utilisation en attendant d'être mieux initié. Vous pouvez donc dessiner sur des rectangles de carton les 22 lames que nous reproduisons dans les pages suivantes[2]. Ce travail vous sensibilisera au symbolisme du tarot et facilitera vos expériences. Si vous employez des cartes achetées dans le commerce, vous n'êtes pas pour autant dispensé de l'effort qui consiste à vous imprégner du symbolisme de chaque image. Regardez longuement chaque carte en vous pénétrant de sa signification.

Les méthodes de tirage du tarot sont innombrables. Chaque pratiquant a plus ou moins sa façon personnelle d'opérer. Il existe néanmoins des méthodes traditionnelles. Certaines sont très compliquées et ne peuvent être utilisées par des débutants comme vous, qui risqueraient de mal interpréter la signification des cartes. En effet, quelle que soit la méthode employée, il ne faut pas s'en tenir à la signification brute des lames. Tout l'art du tarot consiste à exprimer le sens que prennent deux ou plusieurs lames en se succédant ou en se juxtaposant ; c'est l'intuition de l'opérateur qui doit jouer pour l'interprétation des multiples combinaisons possibles.

Nous vous indiquons deux tirages classiques du tarot qui nous ont paru assez simples pour que vous les pratiquiez sans difficulté. À vous de compliquer votre méthode plus tard, si vous le souhaitez.

## Tirages en croix

Pour ces deux méthodes de tirage, vous utiliserez seulement les lames majeures du tarot.

● 1. Battez les 22 cartes. Faites-les couper à votre consultant. Puis recoupez les deux tas obtenus. Vous avez quatre tas devant vous. Prenez dans chaque tas la carte du dessous et celle du dessus.

---

1. Nous reproduisons         les 22 lames majeures du tarot traditionnel.
2. Ces dessins dont la symbolique a été simplifiée est la même que celle du tarot traditionnel ; en les reproduisant vous confectionnez ainsi un jeu personnel qui vous permettra d'être mieux sensibilisés à la pratique du tarot.

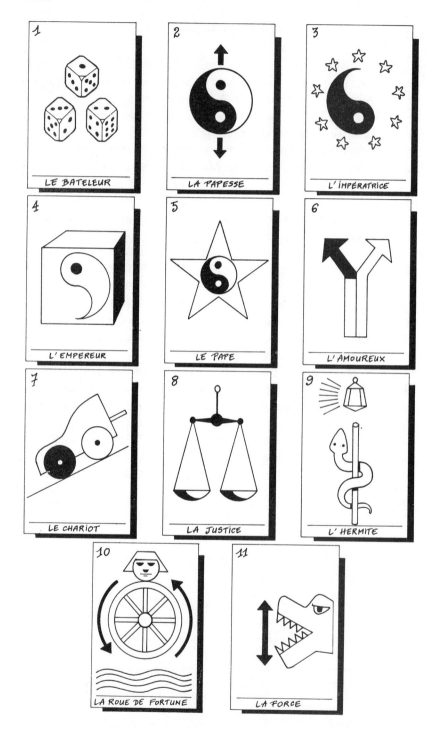

Vous obtenez ainsi quatre paquets de deux cartes que vous disposerez en croix : le premier à gauche, le second en bas, le troisième à droite, le quatrième en haut.

— Le paquet de *gauche* vous renseigne sur le motif qui amène le consultant.

— Celui du *bas* révèle ce qui a des chances de se produire.

— Celui de *droite,* ce qui doit se passer en définitive.

— Celui du *haut,* ce que seront les réactions du consultant à cet épilogue (satisfaction ou mécontentement).

● 2. Battez les 22 cartes. Faites-les couper à votre consultant. Demandez-lui de choisir un nombre compris entre 1 et 22. Comptez les cartes jusqu'au chiffre indiqué.

Notez sur un papier le numéro de l'Arcane majeur qui occupe cette place. Battez à nouveau le jeu sans sortir la carte notée. Demandez à nouveau au consultant de choisir un nombre compris entre 1 et 22. Comptez les cartes jusqu'au chiffre indiqué. Notez sur votre papier le second Arcane majeur qui occupe cette place sans le sortir du jeu.

Procédez encore deux fois de la même façon de manière à pouvoir noter sur votre papier 4 cartes au total.

Sortez alors ces quatre cartes du jeu. Disposez la première tirée à gauche, la seconde à droite, la troisième au-dessus, la quatrième en dessous.

(Si la même carte est sortie deux fois, vous devez tout recommencer depuis le début.)

Votre jeu est devant vous. Totalisez le nombre de points que représentent vos cartes.

Le nombre obtenu est inférieur à 22 ? Dans ce cas, prenez une carte dans le tas restant et posez-la au centre du jeu.

Le nombre obtenu est supérieur à 22 ? Dans ce cas, additionnez les deux chiffres qui composent ce nombre et cherchez l'Arcane correspondant au nombre trouvé par addition. C'est cette cinquième carte que vous placerez au centre du jeu.

(Exemple : Votre nombre supérieur à 22 est 41. Additionnez 4 + 1 = 5. La cinquième carte que vous placerez au centre du jeu sera le PAPE, porteur du numéro V dans le tarot.)

— La carte de *gauche* représente le consultant : la question qu'il se pose.

— Celle de *droite,* ce qui lui est hostile, ce qu'il doit éviter ou craindre.

— Celle du *haut* représente le « juge » et renseigne sur la solution qu'il conviendrait d'adopter.

— Celle du *bas* montre l'issue finale, donne la réponse à la question posée.

— Celle du *centre* confirme ou nuance le verdict des autres cartes.


Pour l'interprétation des différentes méthodes reportez-vous à « La signification du tarot » (p. 108 et 114).

# 5

# La prémonition (R)

*Michel Moine raconte...*

Fin 1978, il m'est arrivé une mésaventure parfaitement inexplicable qui, selon moi, relève du domaine de la prémonition. Invité à participer à un festival d'audio-visuel à Alassio (Italie), j'avais retenu une chambre dans un hôtel au centre de cette ville. Mon déplacement étant de courte durée, je ne devais emporter avec moi que le strict nécessaire. Le jour de mon départ, je préparais ma trousse de toilette, quand une idée que je jugeai absurde s'imposa à moi : il me fallait une lampe de poche. Mon épouse s'étonna : « Pourquoi t'encombrer de cet objet alors que tu seras en pleine ville et dans un hôtel confortable ? » Elle eut beau essayer de me dissuader, je m'obstinai sans pouvoir expliquer les raisons de mon entêtement.

J'assistai au Festival d'Alassio comme prévu et rentrai vers minuit à mon hôtel. Je dormais paisiblement quand, vers trois heures du matin, je fus réveillé en sursaut par un bruit d'explosion suivi d'un fracas de vitres qui volaient en éclats. Une fumée âcre envahissait la chambre. Ma lampe de chevet ne fonctionnait plus. À tâtons, je cherchai la lampe de poche que le même pressentiment m'avait fait déposer, la veille, sur ma table de nuit. La lumière me permit de constater que le sol autour de mon lit était entièrement jonché de débris de verre. Sans le secours de ma lampe, je me serais cruellement blessé en me levant. Quelques minutes plus tard, je rejoignais sur le trottoir de l'hôtel tous les clients pris de panique. Nous apprenions qu'une bombe venait d'exploser dans les locaux de l'agence immobilière voisine.

Il est évident que le jour de mon départ rien ne pouvait laisser prévoir cet événement. Je pense donc que mes facultés intuitives orientées vers cette ville d'Alassio ont capté des informations qui m'ont permis d'agir inconsciemment pour échapper au danger. Cet avertissement vague mais impératif que je n'avais pas sollicité me semble être, dans l'état actuel de nos connaissances, un phénomène de prémonition.

J'ai bien connu à la fin de sa vie Pascal Forthuny, célèbre journaliste et écrivain qui fréquenta sur le tard avec assiduité les milieux parapsychologiques. Ce rationaliste impénitent avait en effet découvert, avec stupeur, qu'il possédait des dons inexplicables que sa curiosité le poussa à exploiter. En présence d'un autre ami commun, Pierre Neuville, il me raconta un jour une histoire qui est du domaine de la prémonition.

Pascal Forthuny se trouvait être très lié avec le docteur Geley, un des directeurs de l'Institut métapsychique international. Alors qu'il était en train de déjeuner tranquillement dans sa maison de Montmorency, le journaliste ressentit soudain le besoin impérieux de rencontrer le médecin. Laissant son repas inachevé, il se rendit à Paris où il trouva Geley lui-même attablé et plutôt surpris de cette visite inopinée. « Je ne sais pas ce qui m'a pris de venir vous voir si vite, dit Forthuny, mais j'ai eu la vision très nette d'un accident. Il s'agit d'un médecin français qui prend l'avion quelque part dans l'est de l'Europe et qui se tue. »

Intéressé, le docteur prit des notes, demanda des détails. Malgré tous ses efforts, son visiteur était incapable de préciser l'identité de la future victime. « C'est quelqu'un de connu, se borna-t-il à affirmer, je ne sais quelle force m'a poussé à venir vous informer de cette vision. » Six mois plus tard, alors qu'il revenait de Varsovie, le docteur Geley trouvait la mort dans un accident d'avion.

D'après ce récit, il semble que l'on se trouve ici en présence d'un double phénomène : après avoir eu une vision (phénomène de clairvoyance), mon ami Forthuny, sans savoir pourquoi, s'était senti obligé de rencontrer le docteur Geley (phénomène de prémonition).

La *Prémonition* (ou précognition) est une faculté psi *réceptrice* qui s'impose à l'état de veille ou pendant le sommeil, et permet la connaissance d'événements futurs, proches ou lointains. À la différence de la clairvoyance, elle se manifeste spontanément. C'est un « message » que l'on reçoit sans l'avoir sollicité. Le *rêve* dit *prémonitoire* est le véhicule le plus fréquent de cette forme de perception extra-sensorielle.

Depuis les temps les plus reculés, les hommes ont été intrigués, souvent fascinés, par leurs rêves. Tout au long des siècles, l'*Oniro-mancie* (la divination par l'interprétation des rêves) a tenu une place capitale dans les sciences occultes. On trouve dans le passé des quantités de témoignages qui attestent que les songes parlent et présagent. Tout le monde a en tête les fameux songes bibliques : Jacob et son échelle, Joseph qui, en interprétant les rêves du pharaon, sauve l'Égypte de la peste et de la famine, etc. Le jour où il devait périr devant le Sénat, César devait entendre sa femme Calpurnia lui dire à son réveil : « Ils vont t'assassiner. » Catherine de Médicis vit en songe la confirmation d'une prophétie de Nostradamus montrant son fils Henri II mourant d'une blessure aux yeux ; peu avant sa fin tragique, Henri III vit en rêve les insignes de la royauté foulés aux pieds par un moine. Devant la multiplicité des témoignages, qui nous parviennent du fond des âges, on comprend pourquoi nous avons aujourd'hui tant de Clés des Songes à notre disposition.

Au XIX^e siècle, le rêve perd son pouvoir de fascination. Le rationalisme est à l'honneur, les scientifiques se désintéressent franchement de ce qui peut se passer pendant notre sommeil. Sont taxés d'ignorants ou de superstitieux ceux qui, timidement, préten-dent encore que nos songes peuvent être la traduction de nos désirs profonds, des résurgences du passé ou des signes annonciateurs de l'avenir.

C'est seulement avec Freud, il y a un peu moins de cent ans, que l'oniromancie cesse d'être considérée comme un art divinatoire pour être étudiée sous un jour nouveau. Les rêves, pense-t-il, sont « une sorte de langage libéré de la conscience », ce qui le conduit à l'*onirocritique,* c'est-à-dire l'étude et le déchiffrage scientifique des rêves, un travail qui sert encore, actuellement, de base à la thérapeutique des névroses.

D'après Freud, les rêves servent à combler les désirs que refoule notre conscient. Carl Jung, son élève, n'adhère pas totalement à ces idées. Estimant que la théorie du désir réprimé est trop limitative, il en avance une autre : celle de l'*inconscient collectif*. L'inconscient ne serait pas seulement constitué d'expériences personnelles, mais d'éléments universels. Chacun de nous détiendrait ainsi une petite parcelle de la mémoire du monde. Les images de notre inconscient — celles qui apparaissent dans nos rêves — seraient puisées dans un réservoir commun où s'entasseraient les images de l'humanité tout entière depuis le début des temps. C'est ce qui expliquerait que les rêves aient parfois des rapports étroits avec des mythes ancestraux. Alors que Freud rejette le phénomène de *précognition* [1], Jung l'admet. En 1934, il écrit : « Une critique objective permet de constater qu'il se produit des perceptions qui se déroulent tantôt comme si l'espace n'existait pas et tantôt comme si le temps n'existait pas. »

Chez les scientifiques purs, la théorie de Jung admettant la précognition rencontra, comme il fallait s'y attendre, beaucoup de scepticisme, surtout dans les premiers temps. Aujourd'hui, un revirement s'est opéré. Des chercheurs comme Hans Bender se sont fait la réflexion que le fait de ne pas comprendre les phénomènes ne devait pas empêcher d'en entreprendre l'étude par des observations. Un certain nombre de laboratoires de par le monde se sont donc équipés pour recevoir des sujets volontaires dont on étudie à la fois le sommeil et les rêves.

Dirigé par Hans Bender, l'Institut pour les zones frontières de la psychologie et de l'hygiène mentale de Fribourg-en-Brisgau dispose actuellement d'une documentation très importante concernant des séries de rêves racontés par des sujets probablement doués de qualités parapsychiques. Le joyau de cette « collection » a été fourni par une actrice qui, depuis 1954, a envoyé à l'institut le récit de quelque 2 600 rêves. Dans les cas qui s'y prêtaient, les chercheurs ont pu vérifier objectivement l'accomplissement de divers événements ainsi rêvés.

Hans Bender et son collaborateur J. Mischo, dans une publication intitulée *La Précognition dans les séries de rêves*, relatent des coïncidences troublantes entre des détails pris dans douze rêves de

---

1. Perception extra-sensorielle d'un événement futur.

l'actrice et des événements qu'elle vécut en tournant un rôle dans un film intitulé *La nuit tomba sur Gotenhafen*. Voici le récit d'une de ces coïncidences pour le moins étrange. Le 22 mai 1959, l'actrice, Mme Christine M..., envoie le compte rendu d'un de ses rêves à l'institut comme elle en a l'habitude : « Suis à bord d'un archaïque bateau sale et dégoûtant, à peine manœuvrable, et qui met des heures rien que pour quitter le port. L'équipage est apparemment très relâché et sent l'alcool. » En guise de commentaire, l'actrice ajoute : « Je voudrais admettre que le rêve du bateau est précognitif et que je ferai en effet un voyage. Mais, actuellement, il n'existe pas la moindre indication que je ferai effectivement ce voyage. Comme je suis seule, il pourrait s'agir d'un voyage professionnel. »

Quelque temps plus tard, d'une manière tout à fait inattendue, une firme cinématographique engage l'actrice pour tourner le film *Gotenhafen*. Entre le 14 et le 17 septembre 1959, elle tourne des scènes de naufrage. La production a loué un bateau que tous les témoins sont unanimes à décrire comme « vieux et sale », il a servi peu de temps auparavant à transporter du charbon ; on n'a pas eu le temps de le nettoyer. Il faut des heures pour quitter le port de Bremerhaven. L'équipage est très mélangé, et les hommes qui ne se trouvent pas de service sont occupés à boire avec des plongeurs amateurs que l'on a engagés pour tourner les scènes de naufrage. Ils sont dans un tel état que le capitaine doit donner un avertissement au second de l'équipage.

Un peu plus de trois mois avant le tournage du film dont elle ne savait absolument rien à l'époque, l'actrice avait donc rêvé les péripéties d'une scène qu'elle vécut plus tard dans les moindres détails. À l'occasion d'autres rêves (certains eurent lieu plus d'un an avant le tournage de ce même film), elle avait noté toute une série d'événements qui — on a pu le vérifier — correspondaient parfaitement avec la situation réelle. On peut donc estimer qu'il s'agit bien là de rêves prémonitoires.

La faculté de *prémonition* se manifestant de manière spontanée, vous avez certainement compris qu'il nous est difficile de vous guider dans ce domaine. Un apprentissage qui consisterait à provoquer ce phénomène serait un non-sens, car où serait la spontanéité ?

Nous pouvons cependant vous guider de deux façons :

1. En vous apprenant à distinguer les phénomènes prémonitoires d'autres phénomènes qui ne le seraient pas.

2. En vous donnant un certain nombre d'indications qui vous aideront à interpréter vos rêves. C'est ici en effet qu'il y a matière à apprentissage, car si vous parvenez à décoder les images qui surgissent pendant votre sommeil, vous pourrez en tirer de précieuses indications, parfois prémonitoires.

## Comment reconnaître les phénomènes prémonitoires

Soit à l'état de veille, soit en dormant, vous croyez avoir eu des prémonitions. En êtes-vous sûr ? Puisque vous vous passionnez aujourd'hui pour la parapsychologie, vous allez maintenant étudier les manifestations de cette faculté psi sérieusement, avec méthode.

Comment savoir si vous avez de véritables prémonitions ?

*Première démarche :*

• Écrivez en détail tout ce qui se rapporte à la prémonition supposée. Exemple : tel jour, à telle heure, alors que j'étais occupé à ceci ou cela, j'ai eu la sensation que... ou j'ai vu que..., etc.

Cette relation par écrit est indispensable, car rien n'est plus fugace que la mémoire. L'événement que vous pressentez peut survenir beaucoup plus tard, et vous aurez ainsi le moyen de contrôler s'il correspond bien au fait réel.

(Nous vous indiquons plus loin la méthode à adopter pour noter vos rêves prémonitoires, p 128.).

*Seconde démarche :*

Lorsque les faits se sont réalisés, vous devez vous poser les questions suivantes :

• Ma prémonition comportait-elle suffisamment de détails pour que l'accomplissement des faits ne soit pas une simple coïncidence ?

Par exemple : vous rêvez d'un accident de voiture, vous voyez un véhicule en piteux état, vous entendez des gémissements. Peu de temps après un de vos proches est blessé dans une collision avec un camion sur l'autoroute.

Vous pouvez vraiment parler de prémonition si votre rêve vous a montré un véhicule semblable à celui de votre parent et un camion correspondant à la description qu'il vous en a faite ; si vous avez nettement distingué le passager blessé ou la nature exacte de la blessure ; si le paysage correspond à celui de l'autoroute, etc.)

● Au moment où j'ai eu cette prémonition, n'étais-je pas en possession (consciemment ou inconsciemment) de certaines données qui pouvaient m'influencer ?

Par exemple : vous avez cru pressentir qu'il allait arriver un malheur à votre mère. Quelques jours plus tard, elle se casse effectivement le col du fémur, mais en fouillant votre mémoire vous découvrez qu'elle était tombée peu de temps auparavant dans son escalier. C'est donc que vous redoutiez déjà inconsciemment cet accident, et on ne peut pas parler de véritable prémonition.

● N'ai-je pas été moi-même à l'origine de l'accomplissement de ma prémonition ?

Par exemple : vous vous êtes vu en rêve assumant de hautes fonctions. Quelque temps plus tard, vous accédez à un poste important. Si cette promotion est vraiment le fait du hasard (mort inattendue d'un supérieur hiérarchique dont vous prenez la place), il peut y avoir prémonition. Mais si tel n'est pas le cas, votre avancement n'est peut-être que l'aboutissement logique de votre acharnement au travail dont votre rêve est une conséquence.

● Si ma prémonition s'est réalisée, n'a-t-elle pas été influencée télépathiquement par quelqu'un qui avait intérêt à ce qu'elle s'accomplisse ?

Par exemple : vous rêvez que vous êtes à bord d'un paquebot. Quelques mois plus tard, votre mari vous emmène en croisière. En fait, il désirait depuis longtemps effectuer un voyage de ce genre, il vous entretenait souvent de ce projet, et c'est ce qui a motivé votre rêve qui n'est pas vraiment prémonitoire.

Les réponses à ces quelques questions doivent vous permettre d'identifier un phénomène prémonitoire quelconque, qu'il surgisse à l'état de veille ou pendant votre sommeil.

Le *rêve prémonitoire,* qui est la forme la plus fréquente de la prémonition, mérite un examen particulier. En entrant dans le monde onirique, on pénètre en effet dans un domaine aussi fascinant que complexe. N'a-t-on pas dit que les rêves étaient « la voie royale vers l'inconscient » ?

Il va de soi que tous les rêves ne sont pas prémonitoires. En fait, très peu de rêves ont une valeur de précognition. Beaucoup sont en relation avec ce qu'on appelle la vie pulsionnelle, c'est-à-dire avec nos comportements alimentaires, sexuels, etc. Ne prenez pas un horrible cauchemar pour un avertissement sibyllin : c'est très probablement et tout prosaïquement la conséquence d'une digestion difficile ou peut-être d'un malaise physique quelconque.

Il y a aussi des rêves qui sont, plus ou moins directement, en relation avec notre mémoire : souvenirs d'actes ou de désirs réalisés ou formulés pendant les jours précédents. Pendant le sommeil, notre cerveau travaille, élimine certaines informations qu'il a reçues à l'état de veille, en enregistre d'autres. Il vous est sûrement arrivé de vous coucher, préoccupé à la pensée d'un problème qui vous paraissait impossible à résoudre. Le lendemain, en vous éveillant, la solution vous apparaissait clairement. Beaucoup de musiciens, de peintres, d'écrivains *rêvent* ainsi certaines de leurs créations. Le fabuliste Jean de La Fontaine ne disait-il pas avoir rêvé, de bout en bout, sa fable *Les Deux Pigeons* ?

Bref, nos préoccupations, nos appréhensions, nos conflits intérieurs et même parfois nos intuitions sont souvent à l'origine de nos rêves. Les images que nous voyons alors n'ont rien de prémonitoire.

### Une méthode d'observation de vos rêves

Pour connaître la fréquence de vos rêves prémonitoires, et surtout pour savoir les distinguer des autres, nous vous conseillons, dès le réveil, de noter en détail les rêves dont vous vous souvenez. Il est très important de le faire immédiatement, car, vous avez pu le constater dans la plupart des cas, le souvenir s'en estompe très vite.

Pour vous aider à agir méthodiquement, nous avons emprunté à Sybil Leek, grande spécialiste américaine des rêves prémonitoires, la liste des conseils qu'elle a dressés à l'intention de ses consultants.

1. Quand vous vous réveillez, gardez les yeux clos et restez allongé, le plus relaxé possible. Dans ces conditions, votre esprit parvient à saisir les morceaux de rêve flottant encore dans votre cerveau et à les rassembler.

2. Dès que vous ouvrez les yeux, notez par écrit tout ce dont vous vous rappelez. Pour cela, il est bon d'avoir près du lit un bloc et un crayon (un magnétophone peut rendre les mêmes services).

3. Si vous êtes de ceux qui ne rêvent presque jamais (ce qui veut dire, en fait, que vous ne vous souvenez pas de vos rêves, car tout le monde a une activité onirique), réglez votre réveil deux heures avant l'heure à laquelle vous devez vous réveiller. À ce moment, il est possible que la sonnerie vous tire du sommeil au cours d'une période de sommeil paradoxal, et vous aurez conscience de vos rêves. Vous pourrez vous rendormir après les avoir notés.

4. Une fois dressé le procès-verbal de votre rêve, notez tout ce qui vous passe par la tête à son sujet, les idées d'interprétation qui vous viennent à l'esprit ainsi que la liste des événements marquants survenus la veille.

5. Cela fait, n'essayez pas de ressasser les épisodes du rêve, ni de le reconstituer entièrement quand vous êtes levé et que vous vaquez à vos occupations matinales. On a en effet constaté que cela fait perdre, au contraire, tout souvenir.

6. Le lendemain, reprenez votre procès-verbal et cherchez ce que vous avez pu oublier. Pensez à votre rêve comme à un miroir dans lequel vous pouvez vous voir refléter. C'est à ce moment-là que vous pouvez consulter les tableaux d'interprétation [1] en cherchant à obtenir un ensemble logique dans la traduction finale.

7. Conservez soigneusement votre procès-verbal dans un classeur en notant la date et l'interprétation que vous avez obtenue. En agissant ainsi, au bout d'un certain temps, vous connaîtrez en compulsant vos procès-verbaux la nature de vos rêves et vous saurez la fréquence de ceux qui sont vraiment prémonitoires. Avec cette expérience, vous serez donc à même de reconnaître ces derniers dès que vous vous réveillez.

### Comment interpréter vos rêves

Le rêve qui, à priori, semble souvent absurde est pourtant *langage de vérité*. Comme toute vérité n'est pas bonne à dire (ou à voir), le rêveur refuse souvent d'accepter les renseignements qui lui viennent

1. Voir *Comment interpréter vos rêves*

des profondeurs de son inconscient. Presque toujours le rêve parle par *symboles,* et il faut beaucoup de patience et de persévérance pour apprendre à décoder ce langage très particulier.

C'est par conséquent un travail personnel que vous allez devoir fournir pour apprendre à interpréter vos rêves. Lorsque vous saurez traduire vos songes, vous découvrirez avec étonnement qu'ils sont porteurs d'un grand nombre de prémonitions dont vous pourrez tirer profit pour mieux conduire votre vie.

Pour percer le mystère de vos rêves vous aurez — et c'est normal — la tentation de consulter des Clés des Songes. Il en existe une multitude et vous n'aurez que l'embarras du choix. Ne résistez pas à votre envie : feuilletez-les, comparez-les. Ce n'est pas une tâche inutile, mais attendez-vous à être saisi de découragement. Vous constaterez en effet que ces Clés des Songes sont presque toujours différentes quand elles ne sont pas contradictoires. Pourquoi ? Parce que c'est une gageure que de vouloir donner des interprétations standards à des symboles qui sont absolument personnels à chaque individu. Prenons un exemple dans la vie courante : certaines personnes sont persuadées que le vendredi 13 est un jour néfaste, d'autres, au contraire, estiment qu'il est bénéfique. Il en est de même pour le domaine du rêve. Vous vous effraierez peut-être d'avoir vu un serpent ramper dans vos songes alors qu'un autre, qui a eu la même vision que vous, peut s'en réjouir. Chacun interprète différemment, suivant sa personnalité, en tenant compte des expériences antérieures qu'il a vécues.

La lecture d'une Clé des Songes vous apprendra qu'un symbole peut être pris *à la lettre* ou *à l'envers.* Vous rêvez d'un enterrement ; vous auriez tendance à penser qu'il s'agit là d'un présage funeste. Ce n'est pas impossible, mais vous devez savoir que la mort est aussi symbole de renaissance, de renouveau et que, dans ce sens, elle peut être interprétée comme un événement bénéfique. Ainsi l'enterrement peut être l'annonce d'un héritage ou d'un départ prochain. Le message ne peut être traduit correctement que si l'on connaît parfaitement le rêveur (son milieu, ses activités, ses préoccupations, sa psychologie, etc.).

Autre point très important : il ne faut négliger aucun détail du rêve. Comment porter un jugement sur un tableau incomplet ? Chaque détail est symbolique en lui-même et peut changer du tout au tout la signification que l'on a attribuée au rêve. Par exemple, vous vous souvenez d'avoir rêvé d'un arbre. Cette vision vous a-t-elle laissé une impression de malaise ou de bonheur ? Comment était cet arbre qui, en principe, vous symbolise ? Malade ? Brisé ? Croulant sous les fleurs ou les fruits ? Dans quel paysage se trouvait-il ? Quel climat ? Etc.

Il faut savoir aussi que la plupart des rêves sont structurés. Jung avait observé qu'un rêve bien agencé était comparable à un drame et qu'il se composait généralement de trois parties : *exposition* (lieu, personnages, thème), *péripéties, dénouement.* De plus, un rêve fait souvent partie d'une série de rêves échelonnés dans le temps, et un épisode ne peut s'expliquer qu'en fonction des autres. Tout ces éléments doivent donc entrer en ligne de compte pour l'interprétation d'un rêve où s'associent différents symboles. Aucune explication standard n'est possible. Chaque symbole a plusieurs sens, et son interprétation ne peut être déterminée que d'après l'ensemble dont il fait partie et les associations d'idées que le rêveur établit par la suite, à l'état de veille.

Les Clés des Songes modernes qui résultent des travaux des psychanalystes ou de psychologues, comme les Clés des Songes populaires (la plus connue est celle d'Arthémidor d'Éphèse), sont l'interprétation de grandes catégories de symboles que l'on retrouve dans la plupart des rêves. Elles sont également utiles pour comprendre le mécanisme d'interprétation des symboles, mais elles ne doivent, en aucun cas, être utilisées comme s'il s'agissait de livres de recettes.

En résumé, nous vous rappelons que, pour interpréter vos rêves ou ceux d'autrui, vous devez tenir compte :

— de la vie du rêveur : son contexte familial, social, religieux, etc. ;

— de l'atmosphère affective du rêve ;

— de la polyvalence des symboles et de leur association ;

— du moindre détail qui entre dans le rêve dont il ne faut pas négliger la structure et, éventuellement, la continuité.

D'après ce qui précède, vous comprendrez que nous n'ayons pas jugé utile de dresser un tableau d'interprétation des rêves à votre intention. Pour vous aider à mettre au point votre propre Clé de Songes (la seule valable), il nous a paru intéressant de vous renseigner sur les grandes catégories de symboles généralement utilisés pour tous les rêves.

132

*Les grandes sources de symboles :*

La famille et la sexualité (ainsi que l'a démontré Freud) tiennent une place capitale dans nos rêves. Rien de très étonnant à cela. En effet, nous avons tous eu un père et une mère, et il est incontestable que notre enfance et le milieu familial dans lequel nous avons vécu ont influencé considérablement notre évolution psychophysiologique. Il est donc naturel — même si nous nous en défendons — que nos désirs ou que nos craintes soient focalisés, d'une manière constante, autour de la famille. Le sexe ? C'est à travers lui que se manifeste un des rares instincts que l'homme ait conservés intact depuis le début des temps, celui de la reproduction. Quoi de plus normal si cette force profonde sans cesse réprimée et objet de tant de tabous se manifeste à nous pendant le sommeil et vient hanter nos rêves !

*Le père :* C'est le dieu tout-puissant du monde enfantin. Dans les rêves d'une fille, il peut apparaître comme un amant.
Dans ceux d'un fils, comme un rival.

D'une manière générale, il apparaît comme un personnage puissant, supérieur, très important. Ce peut être un roi, le pape, Dieu, un professeur, un directeur d'entreprise, etc., ou le père de quelqu'un d'autre.

Le père peut être aussi symbolisé par le soleil, la lumière, le feu, la foudre, le ciel, le vent, l'air.

*La mère :* C'est elle qui donne la vie, nourrit, protège, console. Elle peut apparaître dans les rêves comme une reine, la Sainte Vierge, une servante, une infirmière, etc., ou la mère de quelqu'un d'autre. La mère peut être aussi symbolisée par la terre, l'eau, l'arbre, la forêt, la mer, le lac, la source, une île, une maison.

*Le sexe :* Les symboles phalliques sont des formes dures, érigées, pointues : obus, menhir, doigt, canne, lance, cigare, etc. Les symboles féminins, au contraire, sont creux, ronds, doux : bouche, oreille, nombril (tous les orifices du corps en général), coquillage, caverne, tunnel, berceau, etc. Et également tout ce qui pousse, bourgeonne, fleurit.

À noter que toute sensation de faim, de soif, de démangeaisons, peut aussi représenter des désirs sexuels.

*Le symbolisme animal :*

Dans le règne animal, l'homme peut être symbolisé par le taureau, le cheval, le serpent.

La femme par la jument, le chat, la vache, la baleine, les coquillages.

Quelques symboles parmi tant d'autres :

Les *rats* et les *souris :* mauvais présage, danger, soucis, peines cachées.

Les *poissons :* bon présage, grandes espérances (amour, voyage, etc.).

Le *bélier :* évolution, changements de toutes sortes.

Le *dragon :* danger de mort. S'il est tué : heureux présage.

*Le symbolisme de la mort :*

Quantité d'expériences ont montré que, curieusement, un rêve ayant trait à la mort n'annonce presque jamais une mort physique.

Un rêve de cette sorte peut signifier : départ d'un proche, voyage, renouveau dans un domaine quelconque, fin d'une amitié ou d'un amour.

La vision d'un cadavre : le rêveur est mal dans sa peau, il n'est pas en accord avec l'image qu'il donne de lui, il veut se débarrasser de ce qui entrave son épanouissement.

*Le symbolisme de certaines situations pénibles :*

Être perdu dans le brouillard, une forêt ou la jungle est signe d'anxiété. Le rêveur est à la recherche d'une solution pour résoudre un problème de conscience. Il cherche son chemin, sa voie.

Perdre ses dents ou ses cheveux manifeste une crainte de perdre sa situation ou son prestige, de vieillir.

Être nu, en loques ou à demi dévêtu est présage de pauvreté, d'humiliation, de perte de situation.

*Exemple d'interprétation d'un rêve :*

Marie voit en rêve un arbuste qui pousse sur une île verdoyante. Il fait beau, une légère brise rend la chaleur très supportable. Ces images lui procurent une sensation de bien-être. Tout à coup, des cris étranges la font sursauter. Le sol s'est couvert de taches noires qui grouillent au pied de l'arbre. Bientôt, les formes se précisent : des rats, des centaines de rats grattent frénétiquement le sol en poussant des cris aigus. Marie les voit avec terreur s'approcher de l'arbre, mais ils disparaissent. Il n'y a plus de vent. Le soleil est devenu brûlant, intolérable. L'arbre se dessèche au milieu de l'île ravagée.

Dans ce rêve, l'*arbuste* symbolise Marie. C'est une adolescente de quinze ans, fille unique, qui mène une vie heureuse au sein de sa famille. Sa mère est symbolisée par l'*île* où elle se sent à l'abri ; son père par la *brise* qu'elle ressent au début du rêve comme une caresse agréable. Surviennent alors les *rats* qui symbolisent le danger, l'annonce d'un chagrin. Les rongeurs s'attaquent à l'île (la mère). L'arbuste menacé (Marie) échappe à la destruction, mais, à la fin du rêve, les branches de l'arbre s'étiolent sous l'ardeur du *soleil* (le père).

Quelques semaines après ce rêve prémonitoire, la mère de Marie devait être hospitalisée d'urgence pour une péritonite. Des complications postopératoires mirent ses jours en danger et la tinrent éloignée de chez elle. Sa fille, qui dut la remplacer à la maison pendant toute cette longue période, se retrouva en tête à tête avec son père. Sa mère n'étant pas là pour arrondir les angles, Marie, très indépendante et de caractère entier, eut beaucoup de mal à supporter le joug paternel.

**À noter que** le rêve prémonitoire n'est pas toujours symbolique. Il peut s'exprimer dans notre langage de tous les jours. Les personnes de notre entourage apparaissent alors sous les traits que nous leur connaissons, et les situations sont telles qu'elles peuvent se présenter dans la vie. On raconte par exemple que Charles Dickens rêva un jour qu'il recevait la visite d'une dame Napier totalement inconnue de lui. Elle portait un châle rouge. Dans l'après-midi du jour suivant, une dame drapée dans un châle de cette couleur s'annonça chez l'écrivain : « Je suis Mme Napier. »

Dans ce cas, le rêveur n'a pas besoin d'effectuer le travail de Sherlock Holmes auquel nous avons tenté de vous initier. Si les phénomènes prémonitoires et le rêve en général vous passionnent, nous vous conseillons d'approfondir votre étude sur ces sujets en consultant divers ouvrages spécialisés mentionnés dans la bibliographie de cet ouvrage (p. 241).

# 6

# La télépathie (E et R)

*Michel Moine raconte...*

Très souvent, la télépathie m'a été utile dans l'exercice de ma profession. J'ai dirigé pendant longtemps les services d'information de différentes stations de radio. Chaque jour, je voyais défiler dans mon bureau un certain nombre de collaborateurs ou de visiteurs qui éprouvaient de l'embarras à formuler le but réel de leur visite. Bien des fois, alors qu'ils pataugeaient, n'osant aborder le sujet qui leur tenait à cœur, il m'est arrivé d'interrompre brusquement la conversation pour préciser, à leur plus grande stupéfaction, la véritable raison de leur visite. Dans certains cas, bien entendu, je n'avais eu qu'à faire preuve de psychologie. Mais, dans maintes circonstances, les motifs qui avaient amené mes visiteurs à venir me consulter étaient si insolites que, sans la télépathie, je suis persuadé que je n'aurais pu les deviner. Mes interlocuteurs, qui n'osaient pas exprimer leurs préoccupations, y pensaient si fortement qu'il m'était facile, étant entraîné à cet exercice, de capter leurs pensées.

Il existe également une forme de télépathie spontanée, plus courante, dont un exemple parmi beaucoup d'autres me reste en mémoire. Un de mes collaborateurs, M. B.S..., à l'époque chef du service des sports de Radio-Monte-Carlo, cherchait le titre d'un trophée destiné à récompenser le meilleur pilote automobile de rallye. Connaissant son souci, je lui dis, un matin, que je croyais avoir trouvé. Que pensait-il du « Volant d'Or » ? Il me regarda avec étonnement et éclata de rire : « C'est à peine croyable ! je me suis réveillé, cette nuit, avec ce titre exact en tête... » Je lui demandai de me préciser l'heure.

C'était approximativement celle où j'avais fait personnellement ma découverte. Si cette brillante inspiration commune
n'eut, hélas ! pas de suite concrète, j'eus au moins la satisfaction d'avoir convaincu quelqu'un de la réalité des phénomènes
télépathiques.

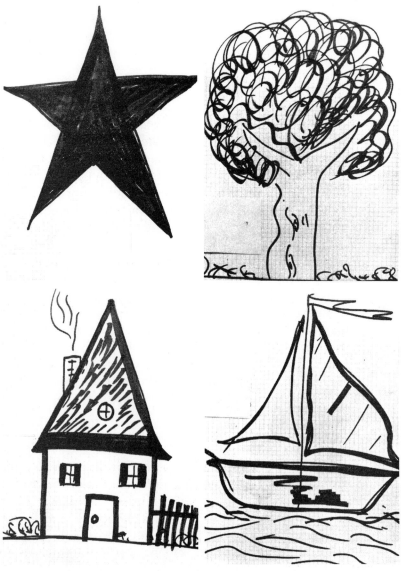

Dessins ayant servi à une expérience de télépathie (RMC) et pouvant être utilisés pour
des exercices d'entraînement de transmission de pensée.

Nous avons produit, à Radio-Monte-Carlo, une série d'émissions sur la parapsychologie auxquelles collaboraient Stéphanie Barrat et Jean-Louis Degaudenzi. Le 19 novembre 1979, au cours d'une de ces émissions consacrée à la télépathie, quatre dessins très schématiques ont été décrits aux auditeurs : une étoile, un arbre, une maison, un bateau (voir photos, p.136). En se concentrant sur une de ces figures, l'étoile, Stéphanie Barrat devait, par transmission de pensée, la faire deviner à ceux qui désiraient participer à l'expérience. Chaque participant communiquait sa réponse par téléphone. À la fin de l'émission, nous avons pu constater que 65 % de nos correspondants avaient correctement reçu notre message télépathique.

Cette expérience a été renouvelée le 20 février 1980. Cette fois-là, c'est un hypnotiseur, Antoine Walbert, qui a transmis l'image de l'arbre choisie par une personne assistant à l'émission. Résultat encore positif : 67 % des auditeurs identifièrent l'image qui leur avait été communiquée.

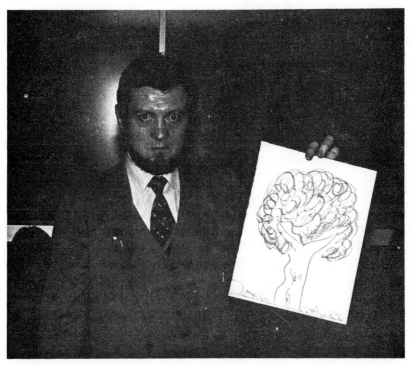

L'hypnotiseur Antoine Walbert montre le dessin transmis par télépathie au cours d'une émission de RMC et qui vient d'être identifié par une majorité d'auditeurs.

Bien que ces expériences n'aient eu aucun caractère scientifique, on est obligé de reconnaître que ces résultats troublants peuvent difficilement être le fait du hasard. Pour s'en convaincre, il suffit de consulter les travaux, autrement sérieux que les nôtres, de certains hommes de science tels que le professeur Rhine. À l'université Duke, son équipe de chercheurs a en effet établi des statistiques montrant que, sur 50 000 essais tentés en employant des cartes, la possibilité moyenne de rencontres dues au hasard est de 5 pour 25. Ce qui m'inciterait à conclure que nos démonstrations radiophoniques n'étaient pas sans valeur.

C'est Frederic Myers, l'un des fondateurs de la Society for Psychical Research qui créa, en 1882, le mot *télépathie* (*télé* = loin, *pathos* = affection) pour désigner la transmission de pensée et la distinguer de la clairvoyance.

Le phénomène de clairvoyance fait intervenir un sujet unique qui, sans avoir recours aux sens habituels, *voit* une image à distance. Le phénomène télépathique, quant à lui, suppose l'intervention de deux personnes. Une personne, l'*émetteur* (appelé aussi agent), s'efforce de transmettre une pensée à une seconde personne, le *récepteur* (appelé aussi percipient).

La transmission de pensée a fait l'objet d'innombrables expériences. Les plus marquantes sont dues au professeur Rhine, au docteur Soal, au professeur russe Leonid Vassilief, à René Warcollier, qui fut président de l'Institut métapsychique international à Paris, au vicomte de Cressac et à Henri Marcotte.

Les expériences de Rhine, auxquelles nous avons déjà fait plusieurs fois allusion, sont uniquement fondées sur la méthode statistique. Un jeu de 25 cartes [1] est utilisé : 5 portent un carré, 5 une croix, 5 un cercle, 5 une vague et 5 une étoile. L'émetteur a en main un jeu battu par un appareil spécial. Il se concentre sur la première carte, puis sur la seconde et ainsi de suite. Le récepteur, isolé dans une autre pièce, tente de deviner les schémas les uns après les autres. Les chiffres qui ont été obtenus au cours de ces expériences se sont toujours révélés supérieurs à ceux que l'on aurait obtenu par

1. Cartes E.S.P. de Zener (voir *Glossaire*

le calcul des probabilités. C'est cette différence qui a permis de conclure à la réalité de la télépathie. Un record : une jeune fille du Hunter College parvenait à identifier en moyenne 18 cartes sur 25.

Aussi rigoureuses que celles de Rhine, les expériences du docteur Soal, qui lui valurent le titre de docteur ès sciences de l'université de Londres, ont fait, de surcroît, l'objet de très subtiles analyses mathématiques.

René Warcollier a expérimenté en France jusqu'à sa mort, en 1962. Il utilisait des sujets non entraînés à la télépathie. Un ou plusieurs émetteurs s'efforçaient de communiquer leurs pensées à un petit groupe de récepteurs réunis dans une autre pièce ou qui pouvaient se trouver au loin, parfois à des milliers de kilomètres. Il s'agissait de transmettre soit des images visuelles (dessins, cartes à jouer, nombres, mots imprimés), soit des attitudes, soit des idées exprimées par un texte court. Certaines séances permirent 50 % de réussites, mais, dans bien des cas, l'image reçue télépathiquement n'était pas la réplique exacte de l'image transmise. C'est ainsi, par exemple, qu'une image de tête de nègre au bout d'une pique fut traduite par une idée de guerre. Certains phénomènes de dissociation, aussi, étaient fréquents. Un émetteur ayant dessiné un ballon dirigeable, René Warcollier, qui jouait le rôle du récepteur, dessina successivement quelque chose qui ressemblait à une bielle, puis un vilebrequin, puis une hélice. À la fin de l'expérience seulement, il esquissa un ballon dirigeable.

De toutes ces expériences mises en chiffres, en courbes, en équations, il ressort que l'existence du phénomène télépathique ne peut être mise en doute. Mais ce phénomène, il faut aussi l'admettre, peut être habilement simulé. La plupart des démonstrations de transmission de pensée qui ont lieu en public sont sujettes à caution. Les artistes qui se donnent ainsi en spectacle font preuve d'une grande virtuosité qui n'a rien de paranormale ; la transmission des mots qu'ils se communiquent ne s'opère pas par la pensée mais à l'aide d'un code verbal ou gestuel. Certains utilisent même des appareils tels que des émetteurs et des récepteurs radio miniaturisés. Les truquages sont innombrables et souvent très sophistiqués. Ils méritent d'être applaudis, mais ce serait montrer beaucoup de naïveté que d'en être dupes.

Si la véritable télépathie s'exhibe si peu sur les planches de music-hall, il ne faut pas en chercher bien loin la raison. Comme nous l'avons souligné dans les pages précédentes, les mécanismes parapsychologiques sont délicats. Comment réussir à coup sûr une démonstration devant des centaines de spectateurs parmi lesquels se recrutent tant de sceptiques ? Voulant braver le sort, quelques parapsychologues courageux ont expérimenté devant des caméras de télévision. Ces épreuves ont été si peu concluantes que des observateurs hostiles ont sauté sur l'occasion pour nier en bloc les phénomènes parapsychologiques. Un résultat qui n'était pas précisément celui que l'on souhaitait !

# LES EXERCICES

Grâce à votre portrait psi (voir p. 66), vous connaissez maintenant vos tendances parapsychologiques.

Trois possibilités :

— vous êtes *émetteur* ;
— vous êtes *récepteur* ;
— vous êtes aussi bien *émetteur* que *récepteur*.

La télépathie étant aussi bien émettrice que réceptrice, vous êtes favorisé si vous vous trouvez dans le dernier cas, car vous n'aurez aucun mal à trouver un partenaire. Vous l'avez compris, en effet, l'exercice de la télépathie ne peut être solitaire.

Si vous êtes franchement *émetteur* ou, au contraire, franchement *récepteur,* il vous faut trouver votre complément. Choisissez une personne de votre entourage que votre apprentissage intéresse et soumettez-la aux tests que vous avez vous-même pratiqués. Si sa tendance est complémentaire à la vôtre (par exemple : vous êtes émetteur, elle est réceptrice), toutes les chances sont réunies pour que vos exercices soient fructueux. Sinon, recommencez l'opération avec quelqu'un d'autre jusqu'à ce que vous trouviez le partenaire qui vous corresponde.

Bien que l'astreinte des tests soit préférable (vous êtes sûr d'opérer avec le sujet qui vous convient), vous pouvez aussi vous en remettre au hasard en éliminant au fur et à mesure les personnes avec lesquelles vous n'obtenez pas de bons résultats.

## 1er exercice : Les dessins.

● Reproduisez sur quatre feuilles de papier différentes les quatre dessins de la page 136. Une reproduction fidèle n'est pas obligatoire, mais efforcez-vous de bien différencier les formes de ces figures.

142

Ainsi, les voiles du bateau seront composées de triangles qui ne pourront pas être confondus avec ceux qui forment les branches de l'étoile.

● Installez-vous dans une pièce avec votre partenaire, loin de tout bruit et à l'écart des allées et venues. L'idéal serait que vous disposiez chacun d'une table à des endroits opposés de la pièce et que vous vous tourniez le dos.

L'*émetteur* dispose devant lui les quatre dessins. Le *récepteur* a, devant lui, une feuille blanche, un crayon noir et quelques crayons de couleur qui lui serviront par la suite.

● En s'inspirant de l'exercice que nous avons indiqué p.74, l'*émetteur* se concentre sur un des quatre dessins qu'il a choisi. (Bien entendu, son partenaire n'est pas au courant de son choix.) Les yeux fermés, il visualise la figure.

Pendant ce temps, le *récepteur* parfaitement détendu s'efforce de ne penser à rien.

● Lorsque l'*émetteur* a réussi à visualiser correctement le dessin, il avertit son partenaire. Celui-ci, toujours neutre en pensée, tente de reproduire la figure qu'on lui transmet.

Il est possible — et même certain — que lors des premiers essais, les dessins obtenus seront très approximatifs. Vous devez cependant considérer que votre résultat est encourageant si la forme générale de la reproduction rappelle celle de la figure initiale.

● Recommencez l'exercice à plusieurs reprises en variant les dessins. Cessez lorsque vous constatez que vos résultats deviennent vraiment trop médiocres. C'est là un effet de la fatigue : l'apprentissage télépathique nécessite une importante dépense d'énergie.

● Vous pouvez compliquer cet exercice en coloriant les dessins avec deux ou trois couleurs. Le récepteur devra alors reproduire ces couleurs sur la figure qu'il a dessinée.

**2ᵉ exercice : Le top et les couleurs.**

— Reproduisez sur une feuille de papier de 30 centimètres de long le dessin (p.143). Coloriez chaque cercle du dessin avec les couleurs suivantes : rouge (cercle 1), bleu (cercle 2), vert (cercle 3), blanc (cercle 4), noir (cercle 5), jaune (cercle 6).

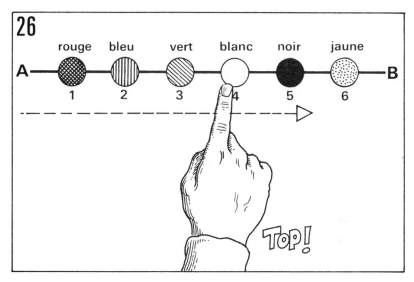

Le but de cet exercice est de transmettre au *récepteur* une des six couleurs du dessin en utilisant un top sonore.

• L'*émetteur* choisit mentalement une couleur. Il demande au *récepteur* de se mettre en état de réceptivité (esprit neutre) et de lui indiquer la couleur qui lui viendra à l'esprit lorsqu'il entendra prononcer le mot *top*.

L'*émetteur* pose son index sur la lettre A et le fait glisser très lentement sur la ligne A-B jusqu'à ce qu'il rencontre la couleur choisie. Il prononce alors le mot *top* à haute voix de façon très sonore.

Immédiatement, le *récepteur* doit indiquer la couleur qui lui vient à l'esprit.

• Continuez l'exercice en changeant de couleur.

### 3e exercice : Les photos.

Procédez comme pour l'exercice n° 1 mais en utilisant, cette fois-ci, des photographies représentant des portraits de famille ou des cartes postales avec des vues de paysage aussi différents que possible.

Pour cet exercice :

• L'*émetteur* ne se concentrera plus comme précédemment mais se contentera de regarder le document avec attention, sans déployer d'effort particulier ;

• Le *récepteur* n'aura pas à dessiner mais à décrire l'image qu'on lui transmet, description qui doit être consignée en détail par l'émetteur.

### 4ᵉ exercice : Les gestes.

*Pour cet exercice, le récepteur devra sortir de la pièce.*

• L'*émetteur* pense à un geste quelconque qu'il va exécuter : lever un bras, tourner la tête à droite ou à gauche, fermer les yeux, se tenir en équilibre sur une jambe, etc. Il note les détails de ce mouvement sur une feuille de papier et exécute ensuite le geste tel qu'il l'a décrit.

• Le *récepteur* entre alors dans la pièce. En s'efforçant de faire le vide dans son esprit, il tente de reproduire le geste initial. Les notes portées sur le papier constituent un moyen de contrôle.
**À noter** que vous pouvez varier ces exercices à l'infini en essayant de transmettre des odeurs, des sensations (chaud, froid, douleur, etc.).

### 5ᵉ exercice : Le jeu de cache-cache.

Quand vous aurez maîtrisé cet exercice, vous pourrez l'offrir en spectacle au cours d'une réunion amicale. Vos amis pourront s'y essayer et se convaincre ainsi de la réalité de la télépathie.

Pour mieux le réussir, dans les premiers temps tout au moins, nous vous indiquons une méthode qui s'apparente à l'hypnotisme.

Le *récepteur* ne se contente pas de capter la pensée de l'*émetteur,* il lui obéit à la manière d'un robot.

• Le *récepteur* sort de la pièce. Pendant ce temps, l'*émetteur* cache un petit objet (boîte, briquet, paquet de cigarettes, etc.) qu'il a auparavant montré à son partenaire. Pour vos premiers essais, la cachette doit être relativement facile d'accès et située dans un périmètre où rien n'est fragile.

• Le *récepteur* revient dans la pièce et, les yeux fermés pour éviter toute distraction, se place à côté de son partenaire. Les interférences de pensées étant toujours possibles, les assistants (s'il y en a) sont priés de conserver une certaine neutralité mentale et le silence total pendant l'opération.

L'*émetteur* décompose en pensée les différents actes que doit accomplir son partenaire pour trouver l'objet. (voir 27, p. 145). Il s'agit de le diriger exactement comme si, en pensée, on tirait les fils

arionnette. La toute première image mentale doit orienter
heur en direction de l'objet. Ensuite, il faut le guider en
osant ses gestes : il avance le pied droit, puis le gauche, puis
e droit..., il opère une légère rotation vers la droite..., il
es genoux..., il est accroupi..., il avance la main droite...,

bout d'un moment, le chercheur est vraiment trop mal
il est préférable d'arrêter l'expérience et de la reprendre
e début.

qu'avec la pratique, on doit pouvoir ne plus suggérer la
osition des actes du chercheur, mais simplement visualiser la
e en pensée. Deux partenaires bien rodés peuvent parvenir
ent à ce résultat. C'est alors de la télépathie pure.

d'une n
le cher
décom
encore
fléchit
etc.

Si, a
orienté
depuis

**À note**
décom
cachet
rapide

# 7

# L'hypnomagnétisme (E et R)

Si nous avons choisi d'associer l'hypnotisme et le magnétisme dans le même chapitre, c'est qu'ils sont, en quelque sorte, cousins germains. Nous nous en expliquerons plus tard, mais les anecdotes qui suivent vous permettront déjà d'établir la différence qui peut exister entre les deux phénomènes.

*Michel Moine raconte...*

Ainsi que je le rapporte dans la préface de ce livre, j'étais à peine adolescent quand le hasard m'a mis sur la voie de l'hypnotisme. Fasciné par cet étrange pouvoir que je venais de découvrir, j'ai donc, avec la fougue qui caractérise la jeunesse, accumulé les expériences dans ce domaine pendant toute la première partie de ma vie : de 1932 à 1950. J'étais alors aiguillonné par ma propre curiosité tout autant que par celle de mon entourage. Au collège, en faculté, à l'armée, mes « dons » étaient devenus si populaires que j'étais en butte à de multiples sollicitations qui m'ont permis d'expérimenter dans les circonstances les plus variées, avec des sujets très divers. Passionné par les résultats que j'obtenais, j'ai même, entre les années 1945 et 1950, donné des séries de conférences assorties de démonstrations publiques.

Parmi les différents souvenirs que je relate ici, vous noterez que je recourais aussi bien à l'hypnose à l'état de veille qu'au sommeil hypnotique.

Alors que j'étais plutôt un élève discipliné, j'ai semé, pendant tout un temps, la perturbation au collège Saint-Louis du Mans. Curieusement, les élèves les plus turbulents s'endormaient pendant les récréations ou les études. On n'aurait peut-être jamais pensé à me rendre responsable de cet état de choses si l'envie ne m'était venue, un jour, d'élargir le champ de mon expérimentation. À trois ou quatre reprises, notre surveillant d'études complètement ahuri vit, en effet, des élèves se diriger vers le tableau noir comme des automates pour y inscrire qui une citation de Virgile, qui la première strophe d'une fable de La Fontaine. On avait beau leur intimer l'ordre de regagner leur place, rien n'y faisait : imperturbablement, ils s'acquittaient de leur tâche jusqu'au bout avant de revenir s'asseoir à leur banc. L'affaire finit par arriver aux oreilles du préfet de discipline qui, entre-temps, avait eu vent de mes exploits. Il me confessa. J'avouai avoir endormi les élèves et leur avoir suggéré, pendant leur sommeil, les actes qu'ils accomplissaient une fois rentrés à l'étude. Inutile de préciser que je fus fermement prié de mettre un terme à mes « manœuvres hypnotiques » à l'intérieur du collège !

À Parthenay (Deux-Sèvres), le mercredi des Cendres fait l'objet d'une fête populaire qui a pour prétexte l'enterrement de l'hiver. J'étais alors étudiant et je fêtais l'événement avec quelques camarades à la terrasse d'un café de la place du Drapeau. L'établissement était doté d'une salle au premier étage qui s'ouvrait sur un balcon. Voulant distraire mes condisciples, je m'adressai à l'un d'eux : « Dans dix minutes très exactement, tu monteras au balcon et tu prononceras un discours sur les réjouissances parthenaisiennes qui ont lieu aujourd'hui. » Ce faisant, je lui suggérai mentalement d'accomplir cet acte. Bien entendu, mon « cobaye » protesta qu'il ne ferait jamais rien de tel. Chacun avait les yeux fixés sur sa montre quand, à l'heure dite, il se leva, disparut à l'intérieur du café pour reparaître, quelques secondes plus tard, au-dessus de nos têtes.

Ce garçon qui, en temps normal, n'avait rien d'un Démosthène, improvisa alors, d'une voix très assurée, un discours qui lui valut non seulement nos applaudissements, mais ceux d'un certain nombre de badauds attirés par ce spectacle inusité.

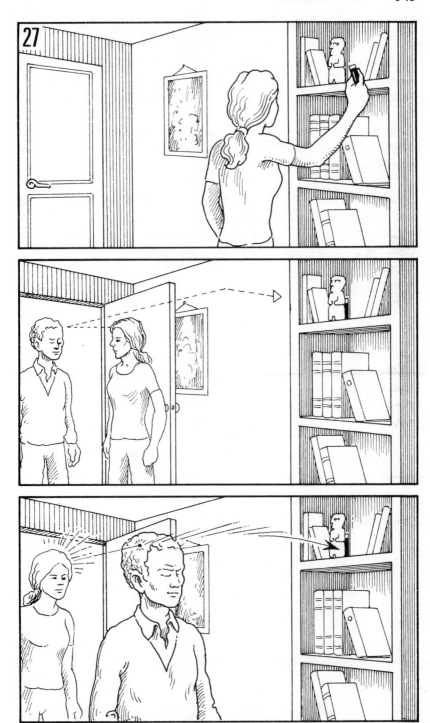

d'une marionnette. La toute première image mentale doit orienter le chercheur en direction de l'objet. Ensuite, il faut le guider en décomposant ses gestes : il avance le pied droit, puis le gauche, puis encore le droit..., il opère une légère rotation vers la droite..., il fléchit les genoux..., il est accroupi..., il avance la main droite..., etc.

Si, au bout d'un moment, le chercheur est vraiment trop mal orienté, il est préférable d'arrêter l'expérience et de la reprendre depuis le début.

**À noter** qu'avec la pratique, on doit pouvoir ne plus suggérer la décomposition des actes du chercheur, mais simplement visualiser la cachette en pensée. Deux partenaires bien rodés peuvent parvenir rapidement à ce résultat. C'est alors de la télépathie pure.

# 7

# L'hypnomagnétisme (E et R)

Si nous avons choisi d'associer l'hypnotisme et le magnétisme dans le même chapitre, c'est qu'ils sont, en quelque sorte, cousins germains. Nous nous en expliquerons plus tard, mais les anecdotes qui suivent vous permettront déjà d'établir la différence qui peut exister entre les deux phénomènes.

*Michel Moine raconte...*

Ainsi que je le rapporte dans la préface de ce livre, j'étais à peine adolescent quand le hasard m'a mis sur la voie de l'hypnotisme. Fasciné par cet étrange pouvoir que je venais de découvrir, j'ai donc, avec la fougue qui caractérise la jeunesse, accumulé les expériences dans ce domaine pendant toute la première partie de ma vie : de 1932 à 1950. J'étais alors aiguillonné par ma propre curiosité tout autant que par celle de mon entourage. Au collège, en faculté, à l'armée, mes « dons » étaient devenus si populaires que j'étais en butte à de multiples sollicitations qui m'ont permis d'expérimenter dans les circonstances les plus variées, avec des sujets très divers. Passionné par les résultats que j'obtenais, j'ai même, entre les années 1945 et 1950, donné des séries de conférences assorties de démonstrations publiques.

Parmi les différents souvenirs que je relate ici, vous noterez que je recourais aussi bien à l'hypnose à l'état de veille qu'au sommeil hypnotique.

Alors que j'étais plutôt un élève discipliné, j'ai semé, pendant tout un temps, la perturbation au collège Saint-Louis du Mans. Curieusement, les élèves les plus turbulents s'endormaient pendant les récréations ou les études. On n'aurait peut-être jamais pensé à me rendre responsable de cet état de choses si l'envie ne m'était venue, un jour, d'élargir le champ de mon expérimentation. À trois ou quatre reprises, notre surveillant d'études complètement ahuri vit, en effet, des élèves se diriger vers le tableau noir comme des automates pour y inscrire qui une citation de Virgile, qui la première strophe d'une fable de La Fontaine. On avait beau leur intimer l'ordre de regagner leur place, rien n'y faisait : imperturbablement, ils s'acquittaient de leur tâche jusqu'au bout avant de revenir s'asseoir à leur banc. L'affaire finit par arriver aux oreilles du préfet de discipline qui, entre-temps, avait eu vent de mes exploits. Il me confessa. J'avouai avoir endormi les élèves et leur avoir suggéré, pendant leur sommeil, les actes qu'ils accomplissaient une fois rentrés à l'étude. Inutile de préciser que je fus fermement prié de mettre un terme à mes « manœuvres hypnotiques » à l'intérieur du collège !

À Parthenay (Deux-Sèvres), le mercredi des Cendres fait l'objet d'une fête populaire qui a pour prétexte l'enterrement de l'hiver. J'étais alors étudiant et je fêtais l'événement avec quelques camarades à la terrasse d'un café de la place du Drapeau. L'établissement était doté d'une salle au premier étage qui s'ouvrait sur un balcon. Voulant distraire mes condisciples, je m'adressai à l'un d'eux : « Dans dix minutes très exactement, tu monteras au balcon et tu prononceras un discours sur les réjouissances parthenaisiennes qui ont lieu aujourd'hui. » Ce faisant, je lui suggérai mentalement d'accomplir cet acte. Bien entendu, mon « cobaye » protesta qu'il ne ferait jamais rien de tel. Chacun avait les yeux fixés sur sa montre quand, à l'heure dite, il se leva, disparut à l'intérieur du café pour reparaître, quelques secondes plus tard, au-dessus de nos têtes.

Ce garçon qui, en temps normal, n'avait rien d'un Démosthène, improvisa alors, d'une voix très assurée, un discours qui lui valut non seulement nos applaudissements, mais ceux d'un certain nombre de badauds attirés par ce spectacle inusité.

Quand il redescendit de sa tribune, notre orateur avait la mine piteuse. « Je ne sais pas ce qui m'a pris, avoua-t-il, mais je me suis senti obligé de grimper là-haut. J'espère que je n'ai pas dit trop de bêtises ? » Nous lui assurâmes qu'il s'était montré très brillant, mais quand il fut de retour chez lui, dans la soirée, il reçut un accueil moins enthousiaste. Sa mère, qui avait eu des échos de son exhibition, lui reprochait vivement de s'être enivré !

Un de mes très bons amis, M. P.F..., qui est aujourd'hui avocat, se préparait à passer l'oral d'un examen à la faculté de droit de Poitiers. Comme toujours en pareil cas, il était très anxieux. « J'ai peur d'échouer, me confia-t-il, pourquoi ne tenterais-tu pas une nouvelle expérience en m'apportant ton aide ? » Bien qu'un peu réticent, je ne dis pas non. Il me soumit alors la seule question qu'il connaissait vraiment à fond et sur laquelle il aurait voulu être interrogé. Lorsque le jour de l'épreuve arriva, je me rendis dans la salle d'examen qui était ouverte au public. Tout en observant l'examinateur, je le testai. Je lui suggérai, par exemple, qu'il allait ressentir une crampe dans la main droite. Aussitôt la main remua et, au bout de quelques secondes, le professeur fit jouer ses doigts comme s'il ressentait une contracture. À priori, le sujet était réceptif à mes injonctions qu'il ne pouvait soupçonner puisque j'étais loin de lui et, en apparence, indifférent.

Lorsque le moment vint pour mon complice de s'asseoir en face de l'examinateur, j'associai dans mon esprit l'image de ce dernier à la question qui devait être posée. Je devais éprouver autant de trac que le candidat à l'épreuve ! Il me suffit de tendre l'oreille et de voir l'expression réjouie de mon camarade pour être rassuré : nous étions gagnants. Un sceptique dira qu'il s'agissait d'une coïncidence, mais, dans certains cas, les coïncidences n'obéissent-elles pas à la volonté des hommes ?

J'avais remarqué que la femme d'un garagiste de Parthenay, Mme J..., était douée de clairvoyance quand je l'endormais par magnétisme. Elle faisait alors des révélations surprenantes touchant à des domaines qu'elle ignorait totalement lorsqu'elle était éveillée. Elle s'exprimait parfois dans son sommeil comme auraient pu le faire des spécialistes dans les disciplines les plus variées. Ma mère, qui se plaignait de douleurs dans la région du cœur, émit le désir d'aller la consulter. Une fois endormie par mes passes magnétiques, Mme J..., qui tenait la main de sa consultante, balbutia quelques mots inintelligibles d'une voix pâteuse. Je la priai de parler plus distinctement. Les témoins de cette expérience — parmi lesquels plusieurs médecins — l'entendirent alors prononcer d'une voix devenue très claire les mots : « Abies Nigra », qu'elle répéta à plusieurs reprises. C'était, très probablement, du latin que la voyante n'avait jamais appris. Était-ce le nom d'un remède ? Le corps médical, quant à lui, n'en avait jamais entendu parler. Un des médecins présents suggéra cependant qu'il s'agissait peut-être d'un produit homéopathique. Cette thérapeutique étant encore peu répandue à l'époque, il s'empressa de téléphoner à la pharmacie du Pilori, à Nantes, dont c'était la spécialité. Ce remède y était inconnu, mais le pharmacien conseilla de consulter les Laboratoires homéopathiques de France à Suresnes. Interrogés par lettre, ceux-ci répondirent qu'il existait en effet, bel et bien, une dilution d'« Abies Nigra » qui nous fut envoyée. Ma mère en fit usage et constata bientôt la disparition de ses malaises.

Un des sujets avec lequel j'ai le plus fréquemment expérimenté se trouvait être une de mes parentes éloignées, Eugénie A..., qui habitait, comme moi, Airvault (Deux-Sèvres). J'avais découvert sa réceptivité tout à fait par hasard, au début de mon apprentissage, quand je tentais de me « faire la main » sur les personnes de mon entourage. La pauvre femme, soumise à d'innombrables expériences que mon juvénile enthousiasme rendaient parfois très fantaisistes, dut plus d'une fois regretter d'avoir un hypnotiseur dans la famille ! J'ai raconté certaines anecdotes qui la concerne dans mon *Guide de la radiesthésie* [1] ; en voici quelques autres.

Très souvent, il s'agissait d'hypnotisme à distance. Habitant à deux kilomètres de chez elle environ, il m'arrivait de lui suggérer à l'improviste des actes qui lui étaient si peu habituels

1. Stock, 1973.

que lorsqu'elle me voyait arriver quelques instants plus tard, elle s'exclamait : « C'est encore une de tes farces, chenapan ! » Sans même l'interroger, je savais alors que ma tentative avait été couronnée de succès. D'autres fois, pour avoir un véritable contrôle, j'envoyais sur place des témoins qui assistaient à l'exécution des « ordres » que je lançais de loin. Ce fut le cas le jour où je commandais à Eugénie de grimper sur une chaise, d'ouvrir le boîtier de sa grande horloge et de l'avancer d'une heure.

Souvent, j'étais moi-même présent pour ces expériences d'hypnose à l'état de veille. C'est ainsi qu'un matin je lui demandai si elle pouvait déplacer la lourde machine à coudre qui trônait dans un coin de la pièce. Elle s'esclaffa : « Tu plaisantes ! Même un homme n'y parviendrait pas tout seul. » Je changeai de sujet mais, alors que je la regardai vaquer à ses occupations, je lui suggérai mentalement, sans prononcer un mot, de porter la machine à coudre au milieu de la pièce. Les personnes qui m'avaient accompagné virent alors, avec stupeur, cette femme de plus de soixante ans soulever la machine comme un fétu de paille et la transporter à l'endroit indiqué. L'héroïne de ce tour de force était la première suffoquée : « Je n'en reviens pas, s'écria-t-elle, j'ai eu l'impression de soulever une plume ! » Bien entendu, je savais que cette démonstration, qui fut plusieurs fois rééditée, ne lui causerait aucun préjudice physique, sinon je ne l'aurais pas envisagée.

Eugénie était un sujet si extraordinaire que, toujours à l'état de veille, j'ai été jusqu'à lui infliger un début de stigmates. Ce jour-là, un bon feu brûlait dans la cheminée. Tout en plongeant le tisonnier porté au rouge dans un récipient d'eau, je suggérai mentalement et verbalement : « Vous allez ressentir une brûlure... Votre main gauche brûle... » Ma victime poussa un cri et se frotta la main. Très vite, elle oublia cette douleur passagère, mais, quelques instants plus tard, nous pûmes tous constater une empreinte rouge très visible sur le dessus de sa paume gauche. Cette marque mit plus d'une heure à disparaître tout à fait.

Beaucoup plus tard, en 1948, à Monte-Carlo, une inconnue devait être aussi la victime de ma *flambante* imagination. Roberto Benzi était encore un petit garçon et dirigeait l'orchestre symphonique sur une esplanade en plein air, derrière le Casino. J'étais entouré d'amis qui, depuis le début de la soirée, me suppliaient de leur montrer un échantillon de mes talents. Avisant devant moi une spectatrice au large décolleté, je la pris comme cible en lui suggérant (en pensée) qu'elle ressentait une sensation de brûlure. Idée funeste, car la dame, après s'être trémoussée sur son siège, se retourna brusquement vers moi, furieuse : « Mais vous me brûlez, monsieur ! On n'a pas idée de fumer pendant un concert. » Mes amis et moi avions beau lui montrer nos mains vides, elle ne voulait pas en démordre. L'incident menaçant de tourner à l'esclandre, je mis tout de suite fin à cette expérience.

Toutes ces histoires vécues, que j'ai choisies parce qu'elles étaient susceptibles de vous divertir tout en montrant différents aspects d'un phénomène que nous allons étudier, pourraient vous faire croire que l'hypnose n'est pas un sujet d'études sérieux. Détrompez-vous : il l'est.

Puisque nous allons vous initier à la pratique de l'*hypnose*, pourquoi avoir employé le terme d'*hypnomagnétisme* ? Parce que les techniques que nous allons vous apprendre, et qui sont le fruit de notre expérience, font tantôt appel à l'*hypnose*, tantôt au *magnétisme*, ou parfois à ces deux disciplines réunies, si tant est que l'on puisse réellement les dissocier. À l'heure actuelle, tous ces phénomènes étant encore inexpliqués, il est en effet impossible de cerner des actions dont on ignore le mécanisme. À plus forte raison, de leur appliquer une définition précise.

Le mot *hypnose,* ou encore *hypnotisme* [1], est une trouvaille relativement récente pour désigner des manifestations qui, au fil des ans, ont porté bien d'autres noms. Il fut un temps où les phénomè-

---

1. En théorie, le mot *hypnotisme* peut être réservé à la pratique de l'hypnose, le mot *hypnose* s'appliquant à cet état. En réalité, les deux termes peuvent être employés indifféremment. Pour plus de clarté, nous avons choisi de nous limiter à celui d'*hypnose*.

nes hallucinatoires, les troubles psychiques ou physiques étaient imputés aux démons ou aux esprits malfaisants. Dans ces cas-là, les prêtres imposaient les mains sur les patients, les calmaient. On parlait alors d'*exorcisme*. (Aujourd'hui encore, on exorcise, mais dans un esprit tout différent.)

Puis vint le Viennois Mesmer (1734-1815), qui découvrit l'existence de ce qu'il appelait le *magnétisme animal*. En pratiquant l'imposition des mains pour transmettre ce fluide magnétique, il fut tout surpris de constater que l'on pouvait endormir les patients. Après avoir *magnétisé*, on *endormit*, mais on ne prononça le mot *hypnose* que lorsque James Braid (1795-1860) inventa ce terme. La méthode hypnotique de ce chirurgien écossais est toujours utilisée sur les scènes de music-hall, plus que dans les cabinets médicaux. C'est celle qui consiste à demander au sujet de fixer son regard sur celui de l'opérateur ou encore sur un objet précis afin de le plonger dans le sommeil.

(Pour plus de détails concernant les faits historiques, se reporter p. 11.)

Si le mot *magnétisme* a un peu perdu de sa faveur, celui d'*hypnose*, par contre, a fait fortune puisqu'il est toujours employé de nos jours, y compris dans les très sérieux domaines scientifiques. Est-ce pour autant un terme satisfaisant ? On peut dire que non. *Hypnose* dérive du grec et signifie sommeil. Or, indubitablement, l'hypnose n'est pas un sommeil normal. Le sujet hypnotisé ne dort pas, ne rêve pas : il obéit à ce que lui suggère l'hypnotiseur, parle, raisonne à l'intérieur de la relation qu'il entretient avec lui. Dans les cas de sommeil profond qui peuvent donner lieu à des phénomènes de clairvoyance, aucun bruit, si fort soit-il, ne peut réveiller le sujet. Même si l'on y relève certaines analogies, les tracés encéphalographiques retraçant l'activité du cerveau de l'hypnotisé sont différents de ceux de l'homme endormi. Du point de vue clinique, le sommeil hypnotique rappelle certains types de sommeil partiel où les malades maintiennent des rapports avec le milieu extérieur.

Les théories scientifiques concernant l'hypnose sont multiples, certaines sont séduisantes, mais, étant donné l'état des recherches, aucune ne peut être encore retenue. Cet ouvrage se voulant avant tout pratique, vous ne vous étonnerez donc pas que nous les passions sous silence.

*L'hypnose et ses applications thérapeutiques.*

Si l'on n'a pas encore réussi à expliquer le phénomène si singulier de l'hypnose, on peut considérer comme un sérieux pas en avant qu'il ne soit plus rejeté par notre civilisation. Personne, aujourd'hui, sous peine d'être ridicule, n'oserait prétendre qu'il s'agit d'une manifestation du diable ou d'un truquage d'illusionniste. D'innombrables résultats contrôlés en laboratoire ou en clinique sont là pour prouver le contraire, et la valeur thérapeutique de l'hypnose est maintenant incontestable.

Actuellement, des médecins, des spécialistes très qualifiés opèrent, accouchent, soignent les dents sous hypnose, à la plus grande satisfaction de leurs patients. La suggestion hypnotique est également utilisée en psychothérapie pour compléter le traitement de certaines névroses.

L'hypnose agit sur le corps en faisant disparaître la sensibilité à la douleur dans des zones bien délimitées ; elle agit aussi sur l'esprit en aidant à supprimer des habitudes nocives (tabagisme, alcoolisme, etc.) ou en calmant, de façon temporaire, des états de panique ou d'angoisse.

C'est en s'inspirant des résultats cliniques et expérimentaux obtenus sur l'hypnose, qu'un neuropsychiatre espagnol, Caycedo, a fondé, en 1960, l'École sophrologique. La *sophrologie* se veut à la fois une science, une philosophie, une thérapeutique et un art dont le but serait de promouvoir l'équilibre et l'harmonie de la personne humaine. Elle fait appel à l'hypnose mais aussi à différentes techniques de relaxation telles que celles de Schultz [1] et de Jacobson [2]. Les sophrologues suppriment la suggestion autoritaire au profit de la persuasion et d'un mode d'expression verbal, le *terpnos logos,* où la voix se doit d'être harmonieuse, douce et monocorde. Les hypnotiseurs ayant chacun leur méthode, certains d'entre eux avaient pratiqué des techniques proches de la sophrologie bien avant que celle-ci n'existe. À noter que si la *sophronisation* (ensemble des méthodes et des exercices utilisés par les sophrologues) est pratiquée dans le domaine paramédical, son usage à des fins thérapeutiques est uniquement réservé aux médecins.

1. Jeune médecin au début de ce siècle, J.H. Schultz a mis au point la technique dite de *training autogène* qui est très proche de l'autohypnose. Le sujet réalise lui-même sa décontraction musculaire sans l'aide de personne.
2. Contemporain de Schultz, Edmund Jacobson préconisait une méthode de relaxation du corps dont le but est de provoquer une détente mentale. On peut lui reprocher d'avoir négligé les aspects psychologiques qu'aurait dû comporter cette étude.

*Pourquoi on se méfie encore de l'hypnose.*

En dépit de tous les résultats encourageants que procure son emploi, l'hypnose n'est encore envisagée qu'avec une extrême circonspection. On y croit, oui, mais on se méfie. Cette défiance, qui existe depuis le début, subsiste toujours, si grands qu'aient été les progrès accomplis. Elle explique sans doute le graphique en dents de scie que montre l'histoire de l'hypnose. On observe en effet que, chaque fois que les hommes ont réussi à exploiter ce phénomène avec un certain succès, ils se sont empressés de faire marche arrière. Si l'on se borne à considérer la période moderne en France, on s'aperçoit qu'après la passion soulevée par les interprétations de Charcot (1825-1893), réfutées ensuite par Bernheim et l'école de Nancy [1], le phénomène hypnotique sombre à nouveau dans l'oubli. Il ne retrouve un regain d'intérêt qu'avec la Seconde Guerre mondiale, quand on découvre qu'il peut guérir les névroses des soldats choqués par leurs combats.

Si l'hypnose connaît actuellement une période faste, beaucoup sont encore réticents quand il s'agit d'y recourir. Le charlatanisme, qui n'a pas fini de sévir, et l'exploitation, souvent honnête mais théâtrale, de cette technique, ne sont pas étrangers à cette attitude. Mais c'est aussi dans la psychologie humaine qu'il faut chercher les motivations profondes de ce refus. L'homme, qui se veut libre, admet difficilement de devenir l'instrument passif de forces psychologiques qui le dominent et qu'il n'a pas le pouvoir de contrôler. L'hypnose l'effraye parce qu'elle trouble sa sécurité psychique en lui faisant courir le risque de découvrir des aspects cachés et inquiétants de sa personnalité. Et c'est probablement cette peur qui explique que l'étude des phénomènes ait été si souvent remise en cause et soit si peu avancée.

*L'hypnomagnétisme et la parapsychologie.*

Nous vous avons donné un bref aperçu de l'hypnose à travers les temps puis de ses applications dans le domaine scientifique. Nous en arrivons maintenant au cœur du problème qui vous intéresse : l'utilisation de l'hypnose — que nous préférons appeler *hypnomagnétisme* — comme moyen de favoriser la manifestation de la

---

1. Voir *Historique*

perception extra-sensorielle (télépathie, clairvoyance). C'est là un usage du phénomène qui souvent fait peur, mais que nous voulons vous apprendre à apprivoiser.

L'hypnomagnétisme est, en quelque sorte, un « outil » dont disposent, en principe, les sujets *émetteurs* pour mettre à jour les facultés psi enfouies chez des sujets *récepteurs*. Par conséquent, si votre portrait psi (voir p.66) vous a défini comme un *émetteur,* vous êtes un hypnomagnétiseur en puissance. Si, au contraire, vous êtes *récepteur*, vous avez de fortes chances d'être un sujet hypnomagnétisable. Enfin, si vous êtes *à la fois émetteur et récepteur* à parts égales, c'est en pratiquant les exercices que vous pourrez déterminer le rôle qui vous convient le mieux.

L'hypnomagnétisme facilite les manifestations psi de deux manières :

1. Il permet au sujet hypnotisé d'accéder à l'état de conscience approprié en éliminant d'emblée toutes les actions parasitaires qui pourraient le perturber (tension, angoisse, mauvaise humeur, etc.).

2. Il supprime le doute et la crainte chez le sujet hypnotisé, lui évitant ainsi les attitudes négatives qui sont de nature à perturber un phénomène psi.

Bref, grâce à l'hypnomagnétisme, sont réunies toutes les conditions favorables, difficiles à obtenir dans la vie courante, pour la réussite d'une expérience psi.

La méthode que vous allez utiliser au cours des exercices met en jeu deux techniques : *hypnotisme* et *magnétisme*.

Nous ne le répéterons jamais trop : il est infiniment délicat de définir le mécanisme de phénomènes sur lesquels on est encore si peu renseigné. Comment pourrait-on enfermer dans le cadre de définitions strictes des notions qui restent floues ? Nous allons néanmoins tenter de vous montrer la différence de résultats qu'on peut obtenir, soit par magnétisme, soit par hypnotisme. Mais, encore une fois, vous en apprendrez beaucoup plus en expérimentant qu'en vous nourrissant de définitions.

Le *magnétisme ?* C'est une forme d'énergie vitale, psychophysique, rayonnante, qui existe chez tous les individus à des degrés divers. Sa qualité et sa quantité sont influencées par l'état de santé et l'équilibre nerveux du magnétiseur. Lorsque celui-ci opère, c'est comme s'il transmettait une partie de sa propre force vitale. (On pourrait parler de « transfusion de fluide vital » comme on parle de transfusion sanguine.)

On peut, par magnétisme, rééquilibrer l'organisme humain, la maladie étant considérée comme une rupture de l'équilibre vital que l'on appelle la santé [1].

C'est dans le sommeil magnétique que se manifestent les phénomènes de télépathie et de clairvoyance. (Le sommeil hypnotique ne produit que des phénomènes de dissociation de la personnalité ou des troubles de la conscience normale.)

L'*hypnose* ? C'est un état de sommeil provoqué, plus ou moins profond, dû à une paralysie partielle ou totale des sens obtenue par des moyens physiques (effets de lumière, sons, paroles indéfiniment répétées, etc.). C'est la monotonie du rituel employé qui endort le sujet et non pas un fluide.

**À noter** qu'avant le sommeil, il existe une phase de suggestibilité pendant laquelle certains sujets peuvent obéir comme s'ils étaient endormis (hypnose à l'état de veille).

D'une manière générale, ce sont les phénomènes d'ordre physique qui prédominent dans l'*hypnotisme*, alors que dans le *magnétisme* ce sont les phénomènes psychiques.

*Hypnotisme* et *magnétisme* ont pour effet commun de créer, chez le sujet, un état psychique qui tend à dissocier le *moi* conscient de l'intelligence subconsciente.

La *suggestion verbale* [2] (parfois seulement mentale pour des opérateurs expérimentés) tient une place très importante dans l'hypnomagnétisme. On pense que le sujet la transforme en autosuggestion, ce qui le pousse à obéir aux ordres qu'on lui donne.

Si nous prônons, dans notre méthode d'expérimentation, l'emploi conjugué de l'*hypnose* et du *magnétisme*, c'est que les sujets ne sont pas également réceptifs à ces deux techniques. Ainsi, un sujet peut être réfractaire à l'hypnose mais être endormi par magnétisme ou vice versa. De plus, au cours des expériences, une méthode peut prendre le relais de l'autre. La démarche doit être adaptée à chaque cas, mais nous pensons que c'est par la pratique, plutôt que par de longs commentaires, que vous comprendrez mieux toutes ces subtilités.

1. Le magnétisme humain permet également la momification (viandes, poissons, fleurs, etc.). Il peut favoriser la germination des graines et la pousse des plantes.
2. C'est au docteur Liebault (1823-1904), médecin de la région de Nancy, que l'on doit la première méthode de psychothérapie suggestive pendant le sommeil provoqué. L'auteur de la fameuse *Méthode Coué*, le docteur E. Coué, était un disciple de Liebault.

# LES EXERCICES

Votre apprentissage hypnomagnétique est destiné à favoriser l'éclosion de facultés psi (télépathie, clairvoyance) ; c'est pourquoi nos méthodes auront plus de similitudes avec celles qui sont utilisées au music-hall que dans les cabinets médicaux. Il faut en effet impressionner le sujet pour augmenter sa suggestibilité. Le médecin qui a recours à l'hypnose n'a pas à faire cette démarche prélimi-naire : sa réputation de praticien a déjà conditionné le patient qui s'est, d'une certaine manière, autosuggestionné.

Un des meilleurs spécialistes actuels de l'hypnose théâtrale, Dominique Webb [1], raconte à ce sujet une anecdote significative. En mars 1971, il avait été convié à participer à une croisière diététique à bord du paquebot *Mermoz*. Il devait, à cette occasion, prononcer une conférence accompagnée de démonstrations concer-nant les possibilités thérapeutiques de l'hypnose dans les cures d'amaigrissement. Il s'était acquitté de cette tâche lorsque, le lendemain, le docteur Eynaud-Joly, médecin du bord, le pria de venir en salle d'opération. Une passagère s'était fracturée le poignet et demandait une anesthésie sous hypnose. En le voyant entrer, la dame, qui gémissait de douleur, soupira de soulagement. À peine l'avait-il fixée intensément dans les yeux qu'elle s'endormit. Pas un seul mot, aucune suggestion, n'avait été prononcé. Ayant vérifié qu'elle était plongée dans un sommeil profond, le chirurgien accomplit son travail, très étonné de la rapidité du résultat obtenu par l'hypnotiseur. Ce dernier, il l'avoue, n'était pas moins surpris. Opération rapide et sans histoire. Une fois réveillée, la patiente ravie déclara qu'elle n'avait rien senti.

1. *L'Hypnose et les phénomènes psi*, R. Laffont.

Un peu plus tard, elle confia à Dominique Webb qu'elle avait eu recours à lui parce qu'elle avait été très impressionnée par ses démonstrations de la veille. Celui-ci en conclut, avec juste raison, que si son intervention avait été si rapide, c'est que la passagère, déjà conditionnée par ses expériences précédentes, n'avait eu besoin que de sa présence pour s'endormir. Elle avait atteint l'état de suggestibilité requis pour sombrer tout de suite dans le sommeil hypnotique.

Dans les expériences d'hypnomagnétisme que vous allez tenter, il est évident que ni à titre d'opérateur, ni à titre de sujet vous n'allez vous trouver instantanément dans les conditions voulues pour provoquer le sommeil. C'est donc pour vous entraîner à réaliser ces conditions que vous allez vous livrer aux exercices qui suivent.

### *L'hypnomagnétisme :* PHASE PRÉLIMINAIRE

Les deux premiers exercices sont destinés à favoriser le degré de concentration de l'*émetteur* (hypnotiseur) afin qu'il ait un comportement propre à impressionner le sujet.

### 1er exercice (voir 28, p. 161).

Pour cet exercice, vous pouvez utiliser tel quel notre dessin ou, mieux, le reproduire grandeur nature sur une feuille de papier. Vous fixerez alors cette feuille sur un mur à la hauteur de votre propre visage.

● Placez-vous à 1,50 m environ du dessin. Fixez intensément le point situé à la racine du nez, entre les deux yeux, aussi longtemps que vous le pourrez sans ciller. Répétez-vous mentalement : « Je regarde le point fixement... Je ne cille pas des yeux. »

● Reposez-vous quelques minutes avant de répéter l'exercice. Vous aurez obtenu un résultat satisfaisant quand vous aurez réussi à fixer le dessin sans ciller pendant une minute. Ne prolongez pas la durée de l'exercice au-delà d'un quart d'heure au total, pour une journée.

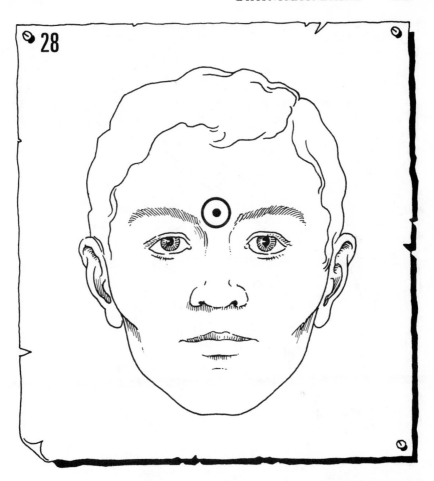

● Au bout de plusieurs jours d'entraînement, vous devez pouvoir fixer de cette manière, pendant une minute, n'importe quelle personne de votre entourage tout en soutenant une conversation avec elle.

**Très important :** À partir de maintenant, et pour toute la durée des exercices de cet apprentissage, toutes les *suggestions verbales* que vous formulerez devront être complétées par une *suggestion mentale*. C'est-à-dire que vous devrez imaginer en pensée les actes que vous décrirez.

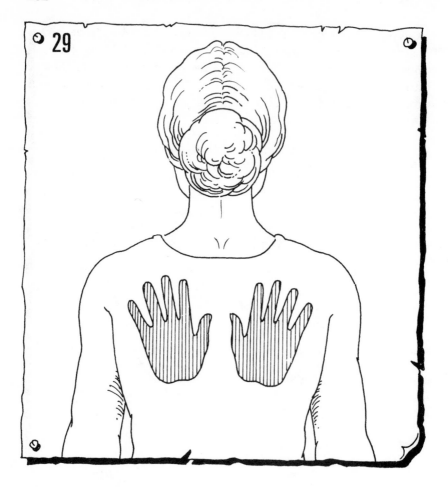

**29**

### 2ᵉ exercice (voir 29).

Il s'agit d'un simulacre : vous allez vous entraîner à suggestionner une personne en la remplaçant par sa représentation graphique. Reproduisez grandeur nature votre dessin, sur une feuille de papier. Fixez cette feuille sur un mur à la hauteur de vos mains tendues.

● Placez-vous à la distance voulue pour que vos mains reposent à plat sur le dessin. Répétez à haute voix, trois ou quatre fois (suggestion à la fois verbale et mentale) : « Je place mes mains sur vos omoplates... Au fur et à mesure que je les retirerai, vous vous sentirez irrésistiblement attiré en arrière... » Vos mains doivent rester collées sur le dessin pendant que vous prononcez cette formule.

• Avec extrêmement de lenteur, décollez vos mains du dessin en les ramenant vers vous. Dites alors à haute voix : « Au fur et à mesure que je retire mes mains, vous vous sentez irrésistiblement attiré en arrière... » Répétez cette formule six ou sept fois en imaginant qu'à la fin de l'exercice votre sujet fictif perd l'équilibre.

• Faites cet exercice trois ou quatre fois par jour, pendant environ une semaine.

### 3e exercice.

Cet exercice est destiné à éprouver le sujet *récepteur* (contrôle de son degré de passivité et de suggestibilité), afin de savoir s'il est hypnotisable.

• L'hypnotiseur doit disposer d'une feuille de carton épais de dimensions 21 × 27 centimètres.

• L'hypnotiseur demande au sujet de prendre le carton entre ses deux mains, la main gauche étant placée au-dessus du carton, la main droite en dessous.

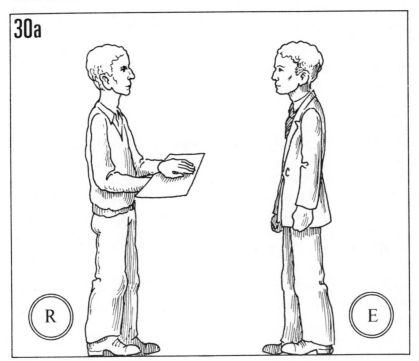

30a

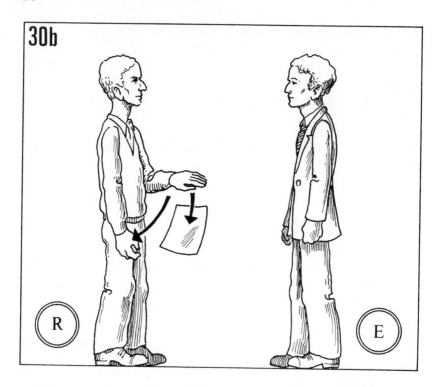

- L'hypnotiseur annonce : « Je vais compter jusqu'à trois. Quand j'aurai dit " trois ", vous retirerez très vite votre main droite. »

- L'hypnotiseur compte lentement : « Un... deux... trois. » Si la main droite du sujet tombe rapidement en libérant le carton, c'est que le sujet fait preuve d'un bon degré de passivité et de suggestibilité (voir 30b).

- Dans le cas contraire, si le sujet hésite ou se trompe de main, sa passivité n'est pas totale et sa capacité à enregistrer les suggestions est moindre. Bien qu'il ait accepté de participer à l'expérience, ce test prouve qu'il montre une résistance inconsciente. Ce sujet n'est donc pas réceptif à cent pour cent, ce qui est aisément vérifiable si vous avez déjà établi son portrait psi (voir p. 66). Vous pouvez néanmoins poursuivre les expériences suivantes avec lui mais en étant averti qu'il n'est pas excellent *récepteur*.

*L'hypnomagnétisme :* PREMIÈRE PHASE

(État de veille)

Au cours des exercices qui suivent, l'*émetteur* (hypnotiseur) va véritablement agir sur le sujet récepteur (hypnotisé) et tester l'influence qu'il peut avoir sur lui. En même temps, il augmentera son degré de suggestibilité qui doit être porté au maximum pour que se manifeste la perception extra-sensorielle.

**Recommandation importante :** c'est seulement à la fin de son apprentissage que l'hypnotiseur apprendra à provoquer le sommeil chez le sujet. Celui-ci reste, *en principe*, à l'état de veille pour toute la série d'exercices que nous abordons maintenant. Il se peut cependant qu'un sujet particulièrement sensible à la suggestion s'endorme sans que l'opérateur l'ait voulu. C'est rare, mais certaines personnes qui font généralement de bons médiums sont si réceptives à l'influence hypnotique que la plus légère tentative les plonge instantanément dans le sommeil.

Dans ce cas, nous déconseillons à l'hypnotiseur d'exploiter un tel sujet pour provoquer tout de suite chez lui des phénomènes de télépathie ou de clairvoyance. Pour opérer en toute sûreté, il est préférable qu'il attende d'avoir parfaitement assimilé toutes les techniques de l'hypnomagnétisme.

Il faut donc *réveiller le sujet.* L'hypnotiseur lui soufflera sur les yeux en suggérant : « Réveillez-vous... Vous êtes bien, très bien... Réveillez-vous... Vous êtes parfaitement bien. »

Lorsque son partenaire sera réveillé, il est bon que l'hypnotiseur renouvelle ses suggestions pour le persuader qu'il est bien revenu à son état normal : « Vous avez un peu dormi... Maintenant, c'est fini, vous n'êtes plus sous aucune influence... Tout va bien. »

*Comment pratiquer les exercices suivants ?*

Vous constaterez que cette série d'exercices est conçue pour vous permettre de franchir certains paliers dans votre expérimentation : il y a une progression dans la difficulté. Vous devez réussir chaque exercice avant de passer au suivant. C'est donc à vous d'établir votre plan de travail en fonction des écueils que vous rencontrez.

Tout dépend de la qualité de la relation qui s'établit entre l'hypnotiseur et le sujet. Il se peut que vous soyez obligé de consacrer de multiples séances aux premiers exercices avant d'obtenir des résultats satisfaisants. Ne vous découragez pas, persévérez. Si vraiment la réussite est trop longue à venir, changez de partenaire. Lorsque vous aurez trouvé celui qui vous convient, il est probable que vous obtiendrez un enchaînement de succès si rapides que vous en serez surpris.

La seule règle que nous puissions vous donner est de ne pas dépasser une durée de *30 à 40 minutes par jour* pour vos séances d'expérimentation. Au-delà de cette limite, la fatigue aidant, vous ne serez plus en mesure de fournir un travail efficace. Ce conseil vaut aussi bien pour l'hypnotiseur *(émetteur)* que pour le sujet hypnotisé *(récepteur)*.

## Les perturbations motrices

### 1er exercice : Attraction en arrière.

● L'hypnotiseur et le sujet sont debout, face à face. L'hypnotiseur demande à son partenaire de se tenir bien droit, talons joints. En le regardant fixement à la racine du nez (voir 31*a*, p. 167), il lui explique : « Je vais me placer derrière vous. Je poserai mes mains sur vos omoplates... Au fur et à mesure que je retirerai mes mains, vous vous sentirez irrésistiblement attiré en arrière... » (Voir 31*d*, p. 167.)

● L'hypnotiseur se place alors derrière le sujet à qui il demande de fermer les yeux. Il pose ses mains sur ses omoplates et répète plusieurs fois, d'une voix persuasive, en détachant bien ses mots : « Au fur et à mesure que je retire mes mains, vous vous sentez irrésistiblement attiré en arrière... » En même temps, il joint le geste à la parole en retirant lentement, très lentement, ses mains.

Si le sujet est sensible aux suggestions, on doit le voir osciller puis perdre l'équilibre. Bien entendu, l'hypnotiseur aura soin de le rassurer : « N'ayez pas peur, vous allez tomber, mais je suis là pour vous retenir... » (Voir 31*d*, p. 167.)

### 2e exercice : Attraction en arrière sans contact.

L'expérience se déroulera de la même façon que précédemment, mais, cette fois-ci, l'hypnotiseur ne sera plus en contact avec le sujet.

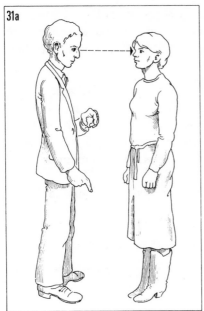

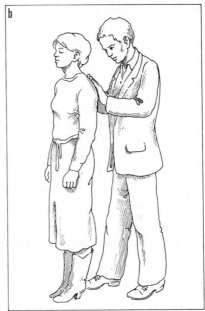

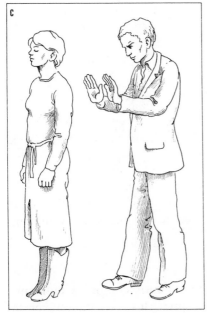

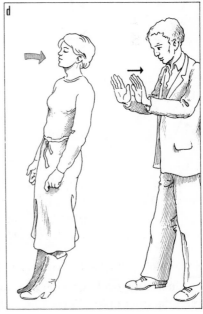

• Lorsque l'hypnotiseur fait face au sujet, il explique : « Je vais me placer à deux ou trois mètres derrière vous... Au fur et à mesure que je reculerai, vous vous sentirez irrésistiblement attiré en arrière... »

• L'hypnotiseur se place à la distance annoncée, derrière le sujet à qui il demande de fermer les yeux. Il a les mains tendues dans sa direction. Joignant le geste à la parole, il répète sans se lasser, d'une voix persuasive : « Au fur et à mesure que je recule, vous vous sentez irrésistiblement attiré en arrière... » Le mouvement de recul doit être très lent.

Pour cet exercice, il est prudent qu'une tierce personne se tienne prête à freiner la chute du sujet.

### 3ᵉ exercice : Attraction en avant.

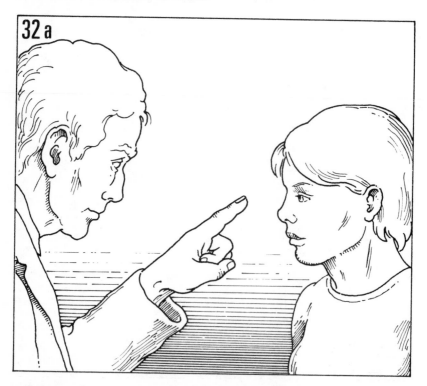

• L'hypnotiseur et le sujet sont debout, face à face, à peu de distance l'un de l'autre. L'hypnotiseur pointe son index entre les yeux du sujet et lui dit : « Vous allez suivre des yeux le mouvement de mon doigt... » (Voir 32a.)

32 b

● Avec son index, l'hypnotiseur dessine alors lentement des cercles qui vont se rétrécissant de plus en plus. Le sujet suit le mouvement des yeux. (Voir 32*b*.)

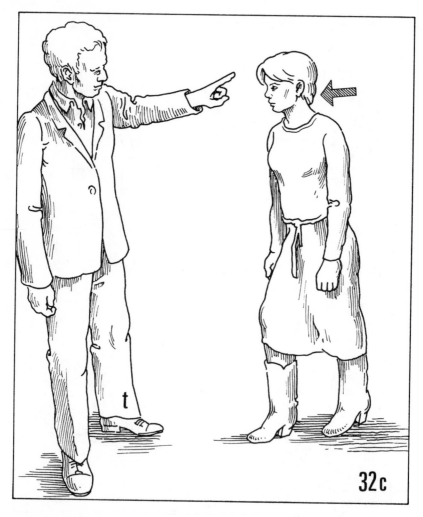

32c

• À la fin des mouvements concentriques, l'hypnotiseur immobilise son index entre les yeux du sujet et suggère : « Suivez mon doigt... Vous êtes obligé de le suivre, il vous attire comme un aimant... » (Voir 32c.)

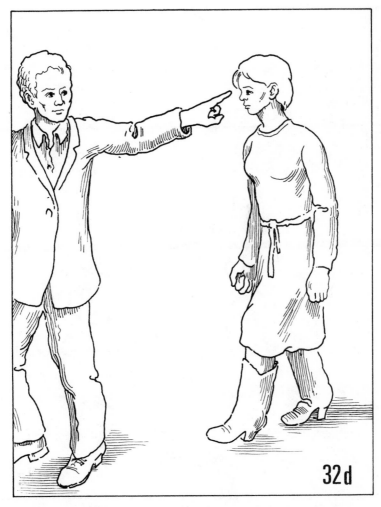

32 d

● L'hypnotiseur marche devant le sujet en pointant toujours l'index dans sa direction et en répétant la suggestion : « Suivez mon doigt, etc. » Le sujet suit son guide, les yeux fixés sur son doigt comme s'il était relié à lui par un lien invisible. (Voir 32d.)

**4e exercice : Les yeux clos.**

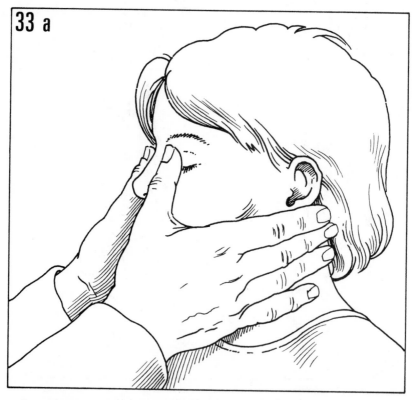

33 a

● Le sujet peut être assis. L'hypnotiseur place ses deux pouces sur les paupières fermées du sujet et suggère : « Lorsque je retirerai mes pouces, vous ne pourrez plus ouvrir les yeux, vos paupières seront collées... » (Voir 33a.)

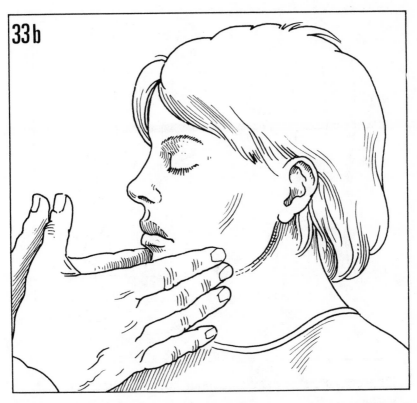

● Lorsque l'hypnotiseur retire ses pouces, le sujet, qui (en principe) doit rester à l'état de veille, est incapable d'ouvrir les yeux. (Voir 33*b*.)

**5ᵉ exercice : La bouche close.**

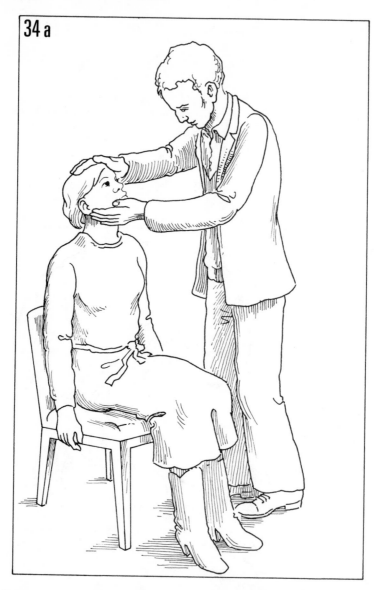

Le processus est le même que pour l'exercice précédent.

● L'hypnotiseur place sa main gauche sous le menton du sujet, sa main droite repose à plat sur le sommet de la tête de celui-ci. Il suggère : « Lorsque je retirerai mes mains, vous ne pourrez plus ouvrir la bouche, vous serez incapable de parler... » (Voir 34a.)

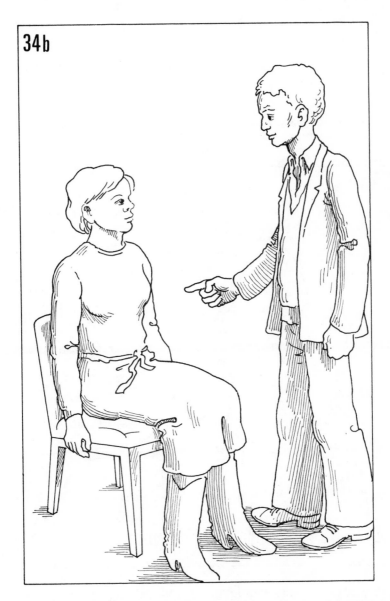

**34b**

● Lorsque l'hypnotiseur retire ses mains, il tente d'engager la conversation avec le sujet, qui est incapable de lui répondre puisqu'il ne peut pas ouvrir la bouche. (Voir 34*b*.)

**6ᵉ exercice : Cloué sur une chaise.**

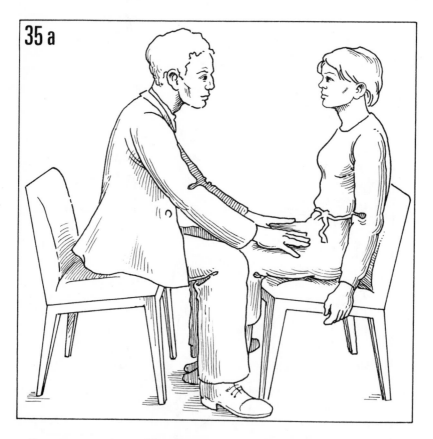

Processus toujours identique.

● L'hypnotiseur et le sujet sont assis, face à face.

● L'hypnotiseur pose ses deux mains à plat sur les cuisses du sujet. Il suggère : « Lorsque je retirerai mes mains, vous serez incapable de vous lever, vous serez cloué sur votre chaise... » (Voir 35a.)

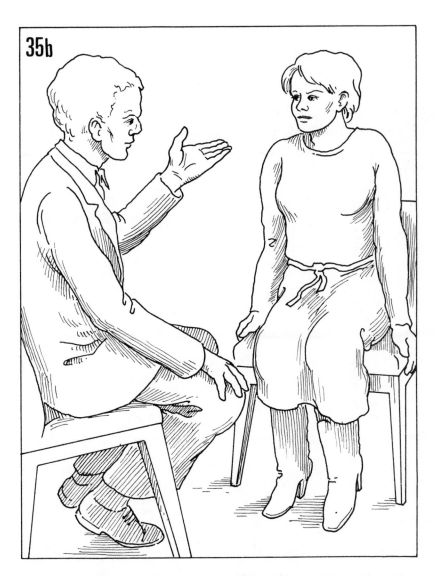

● Lorsque l'hypnotiseur retire ses mains, il demande au sujet de se lever. Malgré tous ses efforts, celui-ci en est incapable : il est cloué sur son siège. (Voir 35*b*.)

**7ᵉ exercice : Les doigts figés en éventail.**

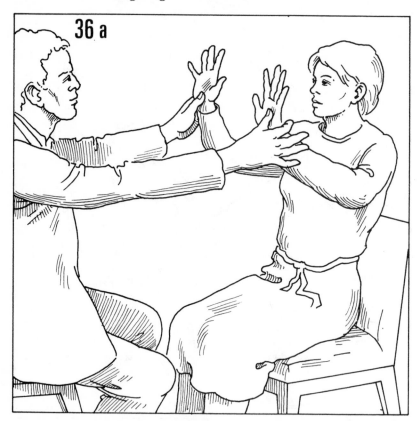

Processus toujours identique.

• L'hypnotiseur et le sujet sont assis, face à face. L'hypnotiseur demande au sujet d'écarter les doigts de ses deux mains en éventail. Il pose ses pouces à l'intérieur des paumes qui lui sont offertes. Il suggère : « Lorsque je retirerai mes pouces, vous serez incapable de rapprocher vos doigts... » (Voir 36*a*.)

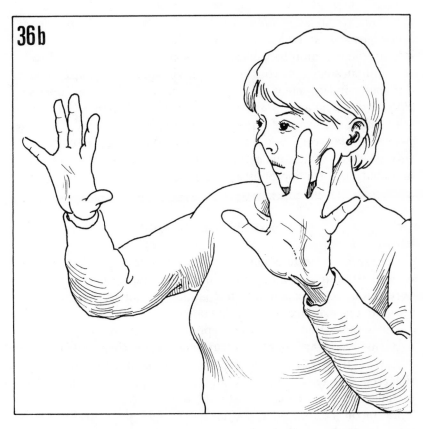

● Lorsque l'hypnotiseur retire ses pouces, le sujet, malgré tous ses efforts, ne peut plus rapprocher ses doigts écartés. (Voir 36*b*.)

Vous avez maintenant compris, en pratiquant tous ces exercices, que la façon de procéder pour augmenter la suggestibilité du sujet est toujours la même. Avec un peu d'imagination, vous pouvez donc varier vos expériences à l'infini et même les rendre distractives dans la limite où, *jamais, vous ne portez atteinte à la dignité du sujet.* Par des suggestions appropriées vous pouvez, par exemple, le faire bâiller, trembler, rire aux éclats, l'empêcher de soulever un objet ultra-léger, le contraindre à esquisser des pas de danse, l'obliger à boxer un partenaire imaginaire, etc.

Pour réussir toutes ces expériences, ne perdez jamais de vue que *tout l'art de la suggestion consiste à se mettre à la portée de l'intelligence du sujet.* Vous ne devez donc employer que des termes qui lui soient compréhensibles. Si vous avez affaire à une personne très influençable, vous vous apercevrez vite qu'il n'est pas nécessaire de répéter indéfiniment les suggestions pour que l'on vous obéisse. *Plus vous pratiquerez, plus votre influence se développera*, et moins vous aurez d'efforts à fournir. Enfin, quand vous serez sûr de la puissance de votre pouvoir suggestif, vous aurez peut-être la surprise de constater que certains sujets que vous aviez cru rebelles au début de votre apprentissage ne le sont plus.

### Les perturbations sensorielles

Les exercices suivants sont toujours destinés à augmenter le degré de suggestibilité du sujet afin qu'il soit en état de manifester une perception extra-sensorielle : télépathie ou clairvoyance. Ce sont toujours des exercices à l'état de veille.

Par la suggestion, l'*émetteur* (hypnotiseur) s'est d'abord exercé à agir sur les mouvements du sujet *récepteur* (hypnotisé) en le paralysant dans telle ou telle position. Il va maintenant tenter de lui suggérer des sensations, des impressions qui vont affecter les organes des sens : goût, odorat, vue, ouïe, toucher.

La façon de procéder est la même que pour les exercices précédents. Aussi, après vous avoir décrit en détail les premières expériences, nous nous contenterons de vous indiquer, de manière plus elliptique, celles qui suivent.

*Comment pratiquer les exercices suivants :*

Vous ne devez toujours pas dépasser *30 à 40 minutes d'expérimentation quotidienne*, mais, contrairement aux exercices précédents, vous n'êtes pas absolument tenu de respecter l'ordre dans lequel vous sont donnés ces exercices.

### 1er exercice : L'illusion d'une saveur.

• L'hypnotiseur donne un verre d'eau au sujet. Il lui demande d'en boire quelques gorgées pour s'assurer que c'est bien d'eau qu'il s'agit.

• L'hypnotiseur, en fixant le sujet à la racine du nez comme il en a maintenant l'habitude, suggère : « A nouveau, vous allez boire et vous constaterez que vous buvez maintenant de la limonade... » Tout en disant ces paroles *(suggestion verbale)*, il pense fortement à la saveur de la limonade *(suggestion mentale)*.

• Le sujet boit tandis que l'hypnotiseur répète sa suggestion : « Vous buvez de la limonade... C'est gazeux, cela pique... C'est sucré... De plus en plus gazeux... De plus en plus sucré... C'est une excellente limonade... »

• Lorsqu'il est vraiment persuadé qu'il est en train de boire un liquide pétillant, il est fréquent que le sujet éternue.
Dans le même ordre d'idées, vous pouvez suggérer au sujet qu'il boit un sirop, du vin, un café très chaud, de l'huile de foie de morue, etc. Attention ! Si vous suggérez une saveur que le sujet ne supporte pas, il se peut qu'il manifeste des signes d'intolérance (nausées, douleurs). Dans ce cas, l'hypnotiseur doit immédiatement faire une *contre-suggestion :* « Vous buvez une boisson délicieuse... C'est un véritable plaisir..., etc. »

### 2e exercice : L'illusion d'une odeur.

• L'hypnotiseur tend un stylo ou un objet quelconque (cendrier, bouteille, feuille de papier, etc.) au sujet. Tout en le fixant, il suggère : « Dans quelques instants, ce stylo va dégager une très agréable odeur de violette... Vous allez respirer le parfum d'un bouquet de violettes... Vous sentez ce parfum délicat monter à vos narines... Respirez... Vous le sentez de mieux en mieux... Les violettes embaument..., etc. »

Vous pouvez ainsi suggérer toutes les idées d'odeurs qui vous viennent à l'imagination. Certaines, comme celles du vinaigre, de l'ammoniaque, de l'eau de Javel, etc., provoqueront chez le sujet des grimaces qui témoigneront de la portée de votre suggestion.

### 3ᵉ exercice : Les illusions de la vue.

Les illusions de la vue sont généralement plus difficiles à suggérer que celles concernant le goût ou l'odorat. Si le sujet est très influençable, vous pouvez tenter ce type d'exercice. (Avec un enfant plus sensible à la suggestion qu'un adulte, vous avez des chances d'opérer avec succès.) Si, après plusieurs tentatives, vous n'obtenez aucun résultat, ne vous obstinez pas, passez à un autre exercice.

• L'hypnotiseur peut commencer par suggérer au sujet une couleur : « Fermez les yeux... Dans quelques instants, vous verrez tout bleu... D'abord un bleu très pâle, très tendre... Puis ce bleu va s'intensifier... Bleu, de plus en plus bleu... Comme un ciel sans nuages... Encore plus bleu, comme la Méditerranée sous le soleil... Tout est bleu... bleu... »

Si cet exercice est réussi, vous pouvez suggérer la vision d'un paysage, d'un animal, d'un personnage historique, etc. La difficulté de cet exercice réside dans le fait que les réactions du sujet n'étant pas apparentes, l'hypnotiseur n'a aucun moyen de contrôle sur la portée de sa suggestion.

### 4ᵉ exercice : Les illusions de l'ouïe.

• L'hypnotiseur peut commencer par proposer au sujet qu'il entend des cloches sonner. En le fixant, il suggère : « Dans quelques instants, vous entendrez un bruit de cloches... Écoutez bien... Les cloches sonnent dans le lointain... Vous les entendez... Les cloches sonnent de plus en plus fort... Elles carillonnent... Vous les entendez de mieux en mieux... De plus en plus fort... Elles sonnent... sonnent... »

Dans le même ordre d'idées, vous pouvez suggérer des cris d'animaux, le bruit d'un train, d'une motocyclette, le fracas d'une tempête, des gémissements, des éclats de rire, etc. Plus le bruit est fort ou désagréable, plus le sujet manifestera ses réactions, soit en grimaçant, soit en se bouchant les oreilles.

### 5e exercice : Les illusions du toucher.

• L'hypnotiseur peut commencer par suggérer au sujet une sensation de chaleur : « Dans quelques instants, le stylo que vous tenez serré dans votre main va vous brûler... Sentez, il est déjà tiède... Il vous chauffe la main de plus en plus... Il est chaud, très chaud, ce stylo... Encore plus chaud... Il vous brûle... Vous allez le lâcher... »

Dans le même ordre d'idées, vous pouvez suggérer des sensations de froid, de démangeaisons, de piqûres, etc.

À **noter** que tous ces exercices concernant les perturbations sensorielles peuvent être complétés par d'autres exercices qui consistent à *supprimer l'usage de tel ou tel sens*. Par exemple, pour le toucher, l'hypnotiseur peut suggérer : « Dans quelques instants, votre main droite sera insensible... Déjà vous ne sentez plus vos doigts... Ils vous refusent tout mouvement... Ils sont insensibles... Votre main tout entière s'engourdit... Vous ne sentez plus rien... ni pression... ni piqûre... ni chaud... ni froid... Rien, absolument rien... Je touche votre main... Elle est morte... Paralysée... »

Si le sujet ne ressent pas la pression de la main de l'hypnotiseur, celui-ci peut alors lui infliger une légère piqûre sans qu'il manifeste aucune réaction.

De la même manière, l'hypnotiseur peut suggérer au sujet qu'il est privé du goût, puis de l'odorat, puis de la vue et enfin de l'ouïe.

### 6e exercice : État de catalepsie partielle.

Cet exercice, qui consiste à provoquer la paralysie totale d'un membre du sujet (son bras, par exemple), constitue une sorte de prologue à votre phase d'initiation au sommeil hypnomagnétique.

Dans tous les exercices précédents, l'hypnotiseur s'est contenté d'agir par *fascination* (fixation du regard à la racine du nez du sujet), et par *suggestion* (verbale et mentale). En plus de ces techniques, il va utiliser maintenant celle des *passes magnétiques*. Nous vous rappelons en effet que c'est le magnétisme qui sert de trait d'union entre l'hypnotisme et les facultés extra-sensorielles. En recourant au sommeil hypnotique à l'état pur, on ne produit que des phénomènes de dissociation de la personnalité ou des troubles de la conscience normale sans rapport avec les phénomènes de télépathie ou de clairvoyance.

## Comment pratiquer les passes magnétiques

Il y a différentes façons de pratiquer les passes magnétiques (avec une ou deux mains) ; nous n'en retiendrons, pour notre part, que deux :

— Les *passes lentes* avec lesquelles l'opérateur « charge » le sujet. (Par l'intermédiaire de ses mains, il dirige vers lui une sorte de fluide, porteur de la volonté qui l'anime.)

Pour pratiquer ces passes :

● Tenez vos deux mains fermées, distantes l'une de l'autre d'environ 3 centimètres. Placez-les au-dessus du sujet à 3 ou 4 centimètres.

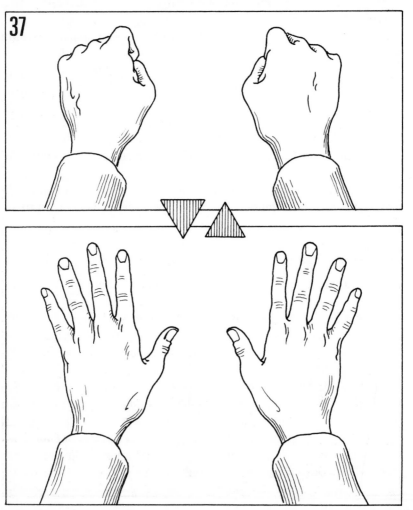

37

● Ouvrez-les. Doigts écartés, descendez lentement au-dessus du sujet le long de son corps ou de la partie concernée. Terminez votre passe en refermant les mains. Recommencez l'opération depuis le début : mains fermées, puis ouvertes, etc. (Voir 37, p. 184.)

— Les *passes rapides* sont celles qu'utilise l'opérateur pour «décharger » le sujet, c'est-à-dire pour le ramener à son état normal.
    Pour pratiquer ces passes :
● Tenez vos deux mains fermées, distantes l'une de l'autre d'environ 3 centimètres. Ouvrez-les et fermez-les d'un mouvement rapide et répété au-dessus du sujet, le long de son corps ou de la partie concernée. Procédez comme si vous projetiez sur lui une substance imaginaire qui serait contenue dans vos mains.

    Vous allez donc vous exercer à provoquer une catalepsie partielle en paralysant le bras du sujet.

● Le sujet est assis. L'hypnotiseur prend dans sa main gauche la main droite du sujet, qui a le bras tendu. De sa main restée libre, il effectue des *passes lentes* du sommet de l'épaule au bout de la main. En même temps, tout en fixant le sujet, il lui suggère : « Bientôt

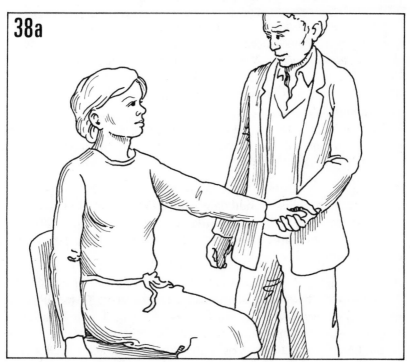

38a

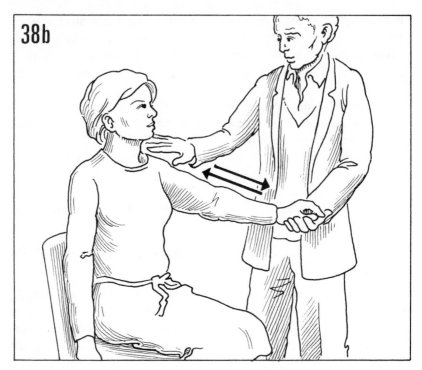

votre bras sera paralysé..., complètement raide..., il vous refusera tout service... Vous sentez votre bras se raidir... Il devient raide..., de plus en plus raide... Votre main aussi se raidit... Votre bras est dur comme un morceau de bois... Vous ne pouvez plus le bouger... Vous ne pouvez plus bouger votre main... Votre bras est paralysé... entièrement paralysé... »

Pour obtenir l'état de catalepsie, l'hypnotiseur doit répéter ses suggestions sans se lasser, parfois pendant 4 ou 5 minutes. (Voir 38*a* et *b*, p. 185 et 186.)

• Lorsque l'hypnotiseur lâche la main du sujet, le bras de celui-ci doit rester immobilisé, tendu dans la position où il était au début de l'expérience. Malgré tous ses efforts, le sujet ne peut plus le bouger. Le membre est complètement insensible aux pressions, aux piqûres qu'on lui inflige.

• Pour redonner l'usage de son bras au sujet, l'hypnotiseur se saisit à nouveau de la main insensibilisée. De sa main restée libre, il effectue des *passes rapides* sur le bras. Tout en fixant le sujet, il suggère : « Votre bras va reprendre son état normal... Le sang recommence à circuler... Vos muscles se décontractent... La chaleur revient dans votre bras... Il redevient souple... Vous pouvez le bouger..., remuer votre main... Votre bras est normal... Vous pouvez vous en servir... Essayez de vous en servir. »

### *L'hypnomagnétisme :* DEUXIÈME PHASE

(État de sommeil. Perception extra-sensorielle)

Vous abordez maintenant la phase capitale de votre apprentissage au cours de laquelle l'*émetteur* (hypnotiseur) va s'initier à provoquer le sommeil chez le sujet *récepteur* (hypnotisé) afin que ce dernier puisse, éventuellement, réaliser des expériences de perception extra-sensorielle : télépathie et clairvoyance.

**Mise en garde :** Endormir quelqu'un pour faire surgir ses facultés psi n'est pas dangereux. Néanmoins, l'hypnotiseur qui détient ce *savoir* (et non pas ce *pouvoir*) ne doit pas se cacher qu'il a des responsabilités à assumer. On ne joue pas avec les forces psychiques d'un sujet, on les étudie. Les dangers, s'ils existent parfois, ont toujours pour cause l'immoralité ou l'incompétence de l'opérateur. La technique elle-même n'est pas en question, c'est l'utilisation qu'on en fait qui peut être nocive.

Le danger existe si un opérateur sans scrupules abuse de l'état de sommeil qu'il a provoqué pour suggérer au sujet des actes ou des pensées qui risquent d'être dommageables à autrui. Il y a là un risque réel mais qui, cependant, n'est pas aussi grand qu'on pourrait le supposer. On a constaté en effet que, dans le sommeil, un sujet psi obéit seulement aux ordres qui sont en accord avec sa conscience profonde. Ainsi, un homme intègre n'obéira jamais à une suggestion qui lui enjoint par exemple de commettre un larcin ; ou bien il ne s'exécutera pas, ou bien il manifestera une réaction nerveuse au moment de l'expérience. C'est pourquoi — même à titre expérimental — nous vous mettons en garde contre ce genre d'exercice.

Vous devez aussi savoir — et c'est essentiel — que la pratique de l'hypnomagnétisme à des fins extra-sensorielles n'est pas sans danger si l'opérateur n'a pas une bonne maîtrise de ces techniques. Vous devez donc avoir longuement et sérieusement pratiqué les exercices de suggestibilité (p. 165), être confiant en vous-même et en votre technique avant d'endormir un sujet. Non seulement vous devez pouvoir vous adapter à des sujets différents, mais vous devez pouvoir faire face aux situations qui se créent d'une manière inattendue.

*Comment pratiquer les exercices suivants :*

La présence d'un public n'est pas indispensable mais elle est souhaitable, à condition que les personnes présentes soient sympathisantes et assistent à l'expérience avec la plus grande neutralité d'esprit possible.

Vous allez expérimenter avec les sujets qui se sont montrés les plus réceptifs au cours des exercices de suggestibilité. Avant de les endormir, assurez-vous qu'ils n'ont jamais été sujets à des malaises cardiaques ou de type névrotique.

La réussite de l'expérience que vous allez tenter dépend, en grande partie, de la qualité de la relation qui va s'établir entre vous et le sujet. Cette relation doit être fondée sur la sincérité et un état d'esprit positif des deux partenaires. *Il est capital que le sujet soit parfaitement d'accord pour tenter une expérience extra-sensorielle et qu'il croie à un succès possible.* Il doit avoir confiance en l'opérateur. N'oubliez jamais que vous n'êtes pas un hypnotiseur de salon ou de music-hall, mais que vous entreprenez une démarche sérieuse en permettant à votre partenaire d'extérioriser une de ses facultés psi.

**1ᵉʳ exercice : Le sommeil.**

Par hypnomagnétisme, l'hypnotiseur va endormir le sujet. Par la voix, il l'*hypnotise ;* par la main, il le *magnétise.*

● Le sujet est confortablement assis dans un fauteuil. L'hypnotiseur, qui se trouve derrière le sujet, pose sa main droite devant ses yeux. Il suggère : « Je vais vous endormir pour que vous puissiez utiliser votre sixième sens... Fermez les yeux... Vous êtes détendu..., calme..., très calme... Vous avez envie de dormir... Vos paupières pèsent sur vos yeux, elles deviennent lourdes..., de plus en plus lourdes... Vous ne pouvez plus ouvrir les yeux... Vous avez de plus en plus sommeil... Votre corps s'engourdit... Vous vous sentez bien, très bien... Vous dormez..., dormez... Vous entrez dans un sommeil profond..., de plus en plus profond... Vous êtes

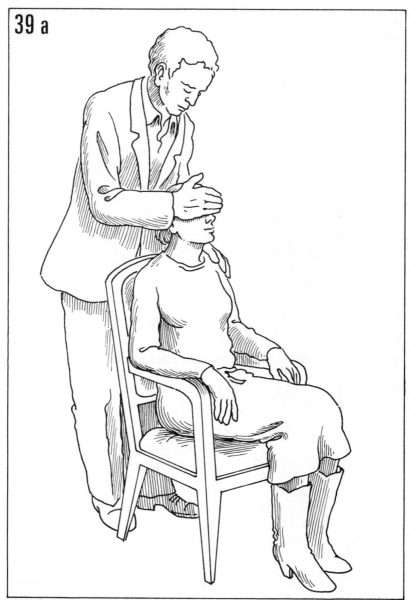

parfaitement détendu... Vous vous reposez, vous êtes bien... Vous dormez profondément... » (Voir 39*a*.)

● Parvenu à ce stade, l'hypnotiseur soulève un bras du sujet. S'il retombe mollement, c'est que la suggestion a produit son effet. Dans le cas contraire, il faut continuer les suggestions. (Un sujet réceptif peut s'endormir très vite, au bout de 1 ou 2 minutes ; pour

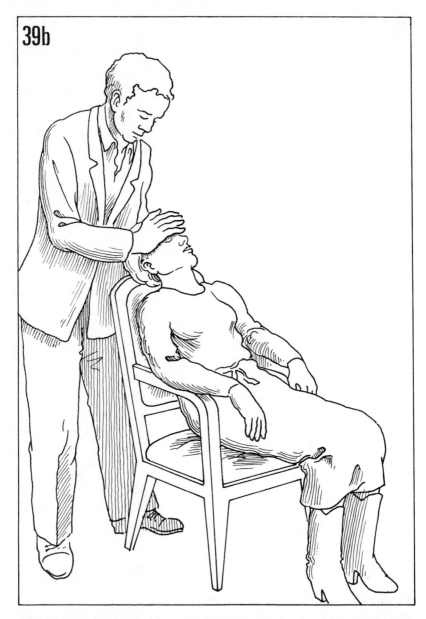

**39b**

un sujet moins réceptif, il peut être nécessaire de poursuivre les suggestions pendant 10 ou 15 minutes. Au-delà, mieux vaut abandonner l'expérience et changer de sujet.)

● La main toujours posée sur les yeux du sujet, l'hypnotiseur continue encore ses suggestions : « Vous vous enfoncez dans un sommeil profond, de plus en plus profond... Vous dormez profondément, très profondément... »

Généralement, lorsque le sommeil a réellement fait son œuvre, l'hypnotiseur sent la tête du sujet peser sur sa main. Il la repousse doucement afin que la position du dormeur soit parfaitement confortable. (Voir 39b, p. 190.)

• L'hypnotiseur, qui a toujours sa main sur les yeux du sujet, le questionne : « Comment vous sentez-vous ?... Êtes-vous tout à fait bien ?... »

Selon le ton de la réponse (pendant le sommeil la voix est assourdie, moins claire), on peut juger de la profondeur du sommeil.

### 2e exercice : Les tests télépathiques.

Pour tester le sujet endormi, l'hypnotiseur va tenter avec lui une série d'*expériences de télépathie*. Pour qu'il y ait télépathie, les réponses aux questions posées doivent être connues de l'hypnotiseur et de l'assistance, mais, bien entendu, ignorées du sujet qui ne doit pas faire appel à sa mémoire mais à son *sixième sens*.

Si le sujet réussit un ou plusieurs des tests télépathiques, on peut déduire qu'il a des chances, par la suite, de se montrer un bon sujet clairvoyant — ce qui ne veut pas dire qu'il le soit obligatoirement. En l'absence de règles établies, il ne faut pas oublier que, dans le domaine psi, seule compte l'expérience.

• L'hypnotiseur, qui conserve toujours une main sur les yeux du sujet endormi, lui suggère : « Vous allez lire dans ma pensée... Je vais vous poser à haute voix une question dont je connais la réponse... Par la pensée, je vais vous transmettre cette réponse... Soyez attentif, prêt à lire dans ma pensée... »

• L'hypnotiseur peut alors poser une question simple de ce type : « M. X... est en ce moment dans un coin de cette pièce, pouvez-vous me dire dans quelle attitude il se trouve ? » ou : « Je lève mon bras gauche, pouvez-vous me dire combien de doigts de ma main gauche sont tendus en ce moment ? » ou : « Je tiens un paquet de cigarettes dans ma main gauche, pouvez-vous me dire combien il reste de cigarettes dans ce paquet ? » ou encore : « Il y a différents bibelots sur la cheminée qui se trouve dans cette pièce, pouvez-vous me dire à quel bibelot précis je pense en ce moment ? »

• L'hypnotiseur doit répéter sa question plusieurs fois et s'assurer, en l'interrogeant, que le sujet a bien compris cette question. Si, au bout de 2 ou 3 minutes, celui-ci est incapable de fournir une réponse, il vaut mieux ne pas s'obstiner et passer à une autre question.

Chaque fois que le sujet fournit une bonne réponse, l'hypnotiseur doit le féliciter, l'encourager à poursuivre : « C'est bien, très bien... Vous lisez parfaitement dans ma pensée... Continuez... » En effet, un succès stimule toujours les efforts du sujet qui, ainsi, de question en question, améliore sa perception télépathique.

Il est bon aussi que, pendant l'expérience, l'hypnotiseur s'enquière régulièrement de l'état de fatigue du sujet. Si celui-ci donne des signes de lassitude, il est préférable de le réveiller (voir p. 165).

### 3e exercice : Les tests de clairvoyance.

Il s'agit maintenant de tester le sujet endormi afin de savoir s'il peut manifester sa *faculté de clairvoyance*. L'hypnotiseur peut tester tous les sujets, qu'ils aient ou non réussi les tests de télépathie.

Les expériences de clairvoyance supposent que personne, pas même l'hypnotiseur, ne connaît les réponses aux questions que l'on pose au sujet. Pour une expérimentation de cette sorte, il est bon d'avertir les personnes présentes qu'elles aient à se munir de documents (photos, lettres, objets) qui pourront donner prétexte à des questions. Il est également souhaitable que l'on puisse contrôler rapidement, par des moyens tels que le téléphone, les réponses fournies par le sujet.

• L'hypnotiseur, qui conserve toujours une main sur les yeux du sujet profondément endormi, lui suggère : « Vous allez faire des expériences de clairvoyance... Je vais vous poser une question dont je ne connais pas la réponse... Personne ici ne connaît cette réponse... Vous seul pouvez la connaître... Vous allez *voir* cette réponse... Vous êtes capable de la *voir*... »

• L'hypnotiseur quitte alors le sujet pour aller s'asseoir en face de lui afin de mieux dialoguer. Il peut poser des questions de ce type :

« Je tiens une montre dans ma main... Sans la regarder, je tourne les aiguilles... Je ne sais pas quelle heure marque cette montre, mais vous, vous le savez... Voulez-vous nous dire quelle heure marque cette montre ? »

« On vient de me donner un livre... Personne ici ne sait en quelle année il a été édité... Je ne l'ai pas ouvert... Vous seul pouvez nous dire sa date d'édition... Pouvez-vous me dire quelle est cette date ? »

« M<sup>me</sup> Y..., qui assiste à l'expérience, vient de vous prendre la main... Elle habite à tel endroit, à telle adresse, à tel étage... Sa mère se trouve chez elle en ce moment... Pouvez-vous nous dire à quelle occupation elle se livre à cette minute précise ? »

« M<sup>lle</sup> W... glisse une photo dans votre main. C'est la photo de son fiancé... Il a passé, hier, un examen très important pour lui... Personne ne sait encore s'il est reçu... Vous seul le savez... Pouvez-vous nous dire s'il est reçu ? »

● L'hypnotiseur n'est pas tenu de poser lui-même la question. Cependant, si c'est la personne directement intéressée qui pose la question au sujet, l'hypnotiseur doit ensuite la réitérer.

Pendant tout le temps que dure la recherche, il doit en outre faciliter la démarche du clairvoyant en le guidant d'une certaine façon. Reprenons l'exemple de M<sup>me</sup> Y... L'hypnotiseur précise : « M<sup>me</sup> Y... habite rue des Tilleuls... Vous êtes dans cette rue, vous la voyez... Vous voyez la maison de M<sup>me</sup> Y... Elle habite au 1<sup>er</sup> étage... Vous voyez l'escalier..., vous le montez... Sa mère est là, derrière cette porte..., vous la voyez..., etc. »

Si le sujet ne *voit* pas et donne des signes d'impatience ou de fatigue, il est préférable que l'hypnotiseur passe à une autre question. Il ne faut, en aucun cas, décourager le sujet, ce qui risquerait de provoquer chez lui un blocage psychique.

Si le sujet a tendance à s'enfoncer dans un sommeil trop profond, l'hypnotiseur effectuera sur lui une série de *passes rapides* avec des suggestions appropriées : « Vous dormez moins profondément... Maintenant, vous pouvez nous parler... Comment vous sentez-vous ?... »

Si le sujet donne des signes de trop grande lassitude, l'hypnotiseur n'hésitera pas à le réveiller (voir p. 165).

Il est possible — et même probable — que les résultats de vos premières expériences seront un peu décevants. C'est tout à fait normal. Il faut expérimenter souvent et longtemps avec de nombreux sujets, surtout au début, si l'on veut en trouver quelques-uns qui donnent des résultats réellement satisfaisants. Le domaine parapsychologique est complexe, les phénomènes ne sont jamais constants. Un sujet peut vous paraître nul ou médiocre des jours durant et avoir subitement une vision extraordinaire et si précise qu'elle vous laissera pantois. Tel autre qui a manifesté des dons à la première expérience peut, au contraire, voir décliner ses facultés psi au fur et à mesure de vos travaux. Ces « fluctuations psychiques », encore inexplicables à l'heure actuelle, ne le seront peut-être pas toujours. Des scientifiques ne travaillent-ils pas, dans le monde entier, à découvrir les lois qui régissent l'univers psi ?

Pour apporter votre modeste pierre à l'édifice, *n'oubliez pas, chaque fois que vous expérimentez, de noter les résultats de vos expériences* en utilisant le tableau que nous vous proposons page... Vous disposerez ainsi de notes précieuses sur la qualité des sujets que vous employez et les domaines dans lesquels ils sont susceptibles de réaliser le plus de progrès.

*L'hypnomagnétisme :* TROISIÈME PHASE

(Le réveil)

**Exercice : Le réveil (voir 40, p. 195).**

Lorsque vous avez pratiqué les exercices de suggestibilité (première phase de votre apprentissage hypnomagnétique), nous vous avons expliqué comment réveiller un sujet qui se serait endormi alors que, théoriquement, il aurait dû rester à l'état de veille (voir p. 164). La technique que vous allez employer maintenant pour réveiller un sujet normalement endormi est à peu près semblable, mais cette fois, vous allez utiliser les passes magnétiques.

• Le sujet endormi est assis. L'hypnotiseur, debout devant lui, utilise ses deux mains pour effectuer des *passes rapides* (voir p. 195) d'abord sur la tête, puis tout au long du corps, en descendant et remontant. En même temps, il suggère : « Réveillez-vous... Vous commencez à vous réveiller... Vous vous sentez bien, très bien... Vos yeux vont s'ouvrir... Vous êtes reposé, parfaitement détendu... Vous êtes tout à fait réveillé... Vous ne vous êtes jamais senti si bien... »

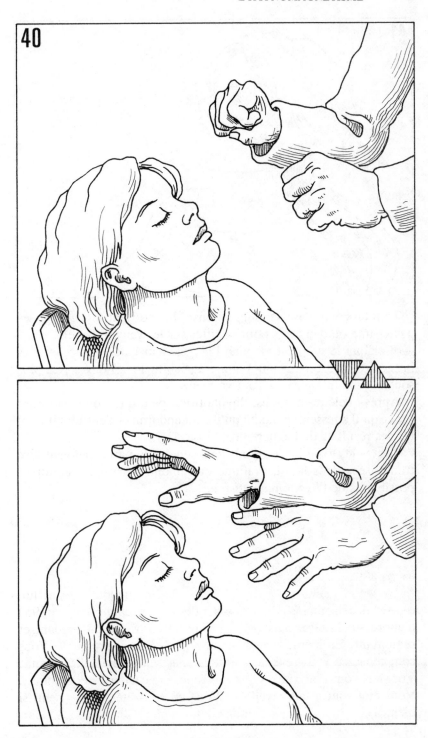

Tout en continuant ses suggestions, l'hypnotiseur interrompt ses passes une ou deux fois pour souffler sur les yeux du sujet.

— Lorsque le sujet est réveillé, l'hypnotiseur l'aide à se relever et lui assure qu'il est revenu à son état habituel : « Vous n'êtes plus sous aucune influence... Tout va bien... »

Après quelques minutes, l'hypnotiseur peut questionner le sujet sur ce qu'il a ressenti pendant qu'il était endormi et s'entretenir avec lui des résultats de l'expérience. (Voir 41.)

Toutes les expériences dont nous venons de parler peuvent être transposées dans la vie pratique et démontrer ainsi les multiples possibilités de l'hypnomagnétisme.

# 8

# La psychocinèse (E)

*Michel Moine raconte...*

Notre esprit a-t-il le pouvoir d'agir à distance sur la matière sans qu'intervienne aucune force physique connue ? Personnellement, je le crois, car j'ai été témoin — et un témoin exigeant — de nombreux phénomènes de ce genre. La plupart des manifestations de psychocinèse auxquelles j'ai assisté étaient attribuées aux pouvoirs jugés « diaboliques » d'hommes ou de femmes à qui la rumeur publique donnait le nom de *sorciers*. Comme il nous a paru intéressant de consacrer un chapitre de ce livre à la magie, ne serait-ce que pour la démythifier, c'est seulement en tête de ce chapitre que je me réserve de vous conter une aventure vécue qui, à priori, paraît sentir le soufre mais qui, en réalité, est en rapport étroit avec la psychocinèse.

Laissant donc, pour l'instant, les diableries de côté, je voudrais évoquer mes rencontres avec quelqu'un qui est considéré comme une « vedette » de la psychocinèse : Uri Geller, qui a beaucoup défrayé la chronique en tordant des petites cuillères et en remettant des montres en marche. Lors de son séjour en France, en 1975, j'ai eu l'occasion de le rencontrer et d'assister à ses expériences à plusieurs reprises. Ses pouvoirs, on le sait, ont suscité et suscitent encore — bien que l'on parle beaucoup moins de lui — de très vives polémiques. Les uns y croient dur comme fer ; les autres n'y voient que supercherie, manipulations d'illusionniste. Pour ma part, mon opinion est plus nuancée. Uri Geller a eu le tort de vouloir exploiter ses dons d'une manière un peu trop théâtrale. Les représentations qu'il a données dans le monde entier, devant des publics venus pour l'applaudir comme n'importe quel prestidigitateur, l'ont obligé à des performances auxquelles aucun parapsychologue sérieux ne peut souscrire. Les facultés psi, on l'a vu, ne s'exercent pas sur commande et requièrent une assistance choisie. Pour ne pas décevoir un public payant, je pense (encore que je n'en aie pas la preuve) qu'il a dû recourir parfois à certains stratagèmes pour réussir à tout coup ses expériences. À force de démonstrations qu'il a voulu trop spectaculaires, il a perdu de sa crédibilité. J'ai assisté, à Nice et à Marseille, à deux de ses *shows* où figuraient au programme des expériences de télépathie et de voyance dont je suis incapable de dire si elles étaient truquées ou non.

Un technicien de Radio-Monte-Carlo, Lucien Primault, eut l'occasion de rencontrer Uri Geller avant moi. Logés tous les deux dans le même hôtel, lors du 6e Congrès international de parapsychologie de Gênes, en juin 1974, ils furent, par hasard, amenés à bavarder ensemble. Lorsqu'on en vint à évoquer les expériences de Geller, notre ami technicien, rationaliste impénitent comme le sont beaucoup de professionnels de son domaine, montra des doutes. Disciple de saint Thomas, il voulait voir... Il fut comblé. N'imaginant pas quel danger il courait, il exhiba la clef de contact de la voiture de reportage qu'il conduisait. Uri Geller, sans la toucher, en effectuant seulement quelques passes, la courba au point de la rendre totalement inutilisable. Partagé entre l'admiration et la fureur, l'incrédule Primault eut alors, avec son coéquipier, le journaliste Patrice Zehr, à résoudre des problèmes pour lesquels la parapsychologie, malheureusement, ne pouvait être d'aucune utilité !

Plus tard, lorsque Uri Geller vint me voir à Radio-Monte-Carlo, nous avons également assisté, avec quelques-uns de mes collaborateurs, à une démonstration qui ne relevait d'aucun artifice. Geller n'était pas là en représentation, cela se passait hors micro, à quelques jours de l'émission que nous devions lui consacrer. À sa demande, quelques-uns d'entre nous lui ont remis des clefs qu'ils ont vues se déformer au contact de sa main. Sur cinq ou six tentatives, deux seulement — si mes souvenirs sont bons — sont restées infructueuses. Si convaincu que je sois de l'existence de ces phénomènes, j'étais encore sceptique. Avec l'instinct qui caractérise souvent les êtres hyper-nerveux, Uri Geller devina ma réticence et s'adressa à moi : « Mes mains n'y sont pour rien, je vais vous le prouver. Si vous avez un objet métallique quelconque dans votre poche, je vais le déformer par simple concentration. » Nous étions alors dans mon bureau et j'étais séparé de lui par ma table de travail. Il se concentra effectivement une ou deux minutes au bout desquelles il me pria de vérifier le contenu de mes poches. Mon trousseau de clefs était intact. Nous allions conclure à l'insuccès de l'opération quand j'extirpai d'une poche encore inexplorée un cure-pipe en acier : il était courbé presque à angle droit. Or, je savais, pour l'avoir utilisé avant l'arrivée de mon visiteur, que cet accessoire de fumeur était en bon état. Lorsque je voulus le manipuler, il se cassa.

L'émission prévue eut lieu, en direct, le 2 mai 1975, dans les studios de Radio-Monte-Carlo à Marseille. Autour de la table derrière laquelle était assis Uri Geller, avaient pris place un certain nombre de personnalités et de journalistes de la presse régionale. En tout, une dizaine de personnes dont je faisais partie. Une vitre séparait le studio d'une salle où se trouvaient quelque cent cinquante spectateurs. Le journaliste Patrice Zehr était chargé d'animer l'émission.

Selon son habitude, Uri Geller avait demandé qu'on lui confiât des clefs et des montres arrêtées depuis longtemps qui lui serviraient de matériel pour ses expériences. Pendant qu'il opérait, les auditeurs étaient invités à rassembler des objets similaires. La première expérience fut tentée avec une clef que Geller effleurait de ses doigts. Les auditeurs et les spectateurs devaient l'imiter. On leur demandait de se concentrer fortement, de croire que le phénomène pouvait se produire et même de « parler à leur clef » *(sic)* en lui enjoignant de se plier. Même processus s'il s'agissait d'une montre à remettre en marche.

En studio, nous vîmes tous, très distinctement, la clef d'Uri Geller mollir entre ses doigts puis osciller et enfin se tordre complètement. Les invités qui la touchèrent à tour de rôle, comme moi, purent alors constater que le métal avait pris la consistance du plastique mais qu'aucune chaleur ne s'en dégageait.

Pour montrer que les enfants sont particulièrement aptes à

provoquer le phénomène de psychocinèse (ils ont la foi), une expérience fut ensuite tentée sur une montre avec l'aide d'un petit garçon. Très vite, chacun de nous put entendre le tic-tac de cette montre, qui ne fonctionnait plus depuis des années. M. Benetti, l'expert horloger de Marseille que nous avions convoqué, dut lui aussi se rendre à l'évidence tout en émettant une réserve : pour être absolument convaincu, il aurait fallu qu'il examine à fond le mécanisme de la montre avant l'opération.

Pendant ce temps, les témoignages des auditeurs affluaient aux différents standards de la vaste zone d'écoute de Radio-Monte-Carlo. Ils étaient positifs dans une proportion de 80 % environ. À Lyon, Montpellier, Bordeaux, Marseille, Monaco, des quantités de montres jugées hors d'usage s'étaient remises en marche. Quelques-unes s'étaient à nouveau arrêtées, mais d'autres fonctionnaient normalement depuis le début de l'émission, depuis une demi-heure. Nous eûmes également la surprise de voir surgir dans le studio un automobiliste marseillais qui venait nous faire part de sa stupéfaction. Alors qu'il roulait en écoutant l'émission, il avait eu la curiosité de prendre des montres qu'il avait mises dans sa boîte à gants dans l'intention de les faire réparer. Sans croire à l'« effet Geller », il s'était amusé à tenter l'expérience, et une de ces montres fonctionnait de nouveau. Visiblement, son scepticisme s'était envolé, il était suffoqué.

Il y eut peu de témoignages concernant les clefs qui, ce jour-là, semblaient avoir été récalcitrantes. Il fallut cependant indiquer à un auditeur de Bordeaux éploré comment redresser sa clef de contact de voiture qui s'était tordue, pour qu'il puisse reprendre sa route. Parmi les spectateurs, un garçon d'une quinzaine d'années vint également en studio nous montrer une clef qui s'était déformée dans sa main.

L'émission comporta une expérience de télépathie. Notre confrère de Marseille Alex Mattalia, secrétaire général du journal *Le Méridional* de Marseille, qui ne pouvait être soupçonné d'aucune connivence en raison de son arrivée tardive, fut prié par Patrice Zehr d'exécuter un dessin quelconque sur une feuille, hors de la vue de Geller. Par télépathie, et après quelques hésitations, celui-ci reproduisit parfaitement la forme géométrique dessinée par le journaliste.

Dans les jours qui suivirent cette émission, nous reçûmes un abondant courrier qui témoignait éloquemment de la réussite de ces expériences. Voici des extraits de quelques-unes de ces lettres :

— De M. Paul A..., à Hyères :
« Par jeu, nous avons exhumé une montre de nos grands-parents, un gros oignon d'autrefois qui n'avait plus marché depuis un demi-siècle. Les horlogers de l'époque l'avaient déclaré irréparable. Entre autres, le ressort était décroché ou cassé, car on pouvait la remonter indéfiniment. Au cours de l'émission, par séries de quelques secondes au début, puis complètement, la montre s'est remise à marcher. Cinquante ans après ! Qui dit mieux ? Depuis, et à condition de la remonter de temps en temps (ce qui est pour le moins bizarre étant donné l'état du ressort !) la montre marche toujours. »

— De Mlle Antoinette B..., à Brignoles :
« Vendredi soir, tout en étant un peu sceptique, j'ai eu la surprise de voir se tordre une fourchette en ruolz et fonctionner une montre ancienne, irréparable d'après ce que m'avait affirmé l'horloger. Elle a marché depuis que je l'ai remontée à 7 h 15, vendredi soir, elle ne s'est arrêtée que dimanche matin à 8 h 30... Je n'osais pas trop la toucher, cependant je l'ai remise à l'heure et tout a bien fonctionné. »

— De Mme Noële C..., à Nice :
« Suite à votre émission d'hier au soir, 2 mai, sur Uri Geller, j'ai le plaisir de vous faire savoir qu'une très vieille montre s'est remise en marche alors que je la tenais simplement dans la main. Elle marche depuis hier soir. »

Les expériences de psychocinèse de Uri Geller ne sont pas les seules auxquelles j'ai assisté. Quelques mois plus tard, invité par ma consœur Gabriella Marconi, de la chaîne italienne de Radio-Monte-Carlo, j'ai été également témoin de démonstrations similaires faites par un parapsychologue italien, M. Alexander. Celui-ci déformait les objets sous nos yeux, sans les toucher. Comment contester de telles évidences ? Je mets au défi les prestidigitateurs qui nient farouchement l'existence de cette faculté psi d'en faire autant ! Entendons-nous bien : je ne m'érige nullement en défenseur inconditionnel des Uri Geller, Alexander ou autres, je me contente d'affirmer ma conviction profonde de la réalité du phénomène de psychocinèse qui, selon moi, ne peut être nié. Les expériences scientifiques qui ont été réalisées dans ce domaine — et dont nous allons vous donner un aperçu — sont assez nombreuses et assez sérieuses pour prouver le bien-fondé de mon opinion. Pour tout dire enfin, mon inébranlable assurance vient du fait que... j'ai expérimenté moi-même. N'est-ce pas le meilleur moyen de se convaincre ? Or, si beaucoup de mes tentatives se sont soldées par des échecs, mon entourage peut attester que deux montres ont repris vie sans que je les touche et qu'une petite cuillère a donné des signes de faiblesse. Où pouvait bien être le « truc », sinon dans mon esprit ?

On ne parle que depuis peu de l'*influence de l'esprit* sur la matière, mais les hommes de tous les temps et de tous les pays ont toujours été intrigués, voire terrifiés, par ce qu'on appelle aujourd'hui l'*effet de psychocinèse*. Jadis, on mettait ces manifestations bizarres sur le compte des dieux, des génies, des esprits malins, qui prenaient plaisir à venir hanter certains lieux ou certaines personnes. Bien que ces croyances subsistent encore, elles sont de moins en moins répandues.

*L'« effet Geller » dans le monde.*

Si contesté qu'il soit, l'Israélien Uri Geller a puissamment contribué, toutes ces dernières années, à faire entrevoir au grand public que les profondeurs de notre psychisme recelait des pouvoirs insoupçonnés. Quand les humoristes ont commencé à s'esclaffer, il y avait longtemps que les scientifiques avaient déjà pris la chose au sérieux. Dix-sept laboratoires de huit pays différents ont testé l'« effet Geller ». Tous ces tests n'ont pas été positifs, mais il a bien fallu reconnaître que, chaque fois qu'ils l'étaient, les conditions d'expérimentation étaient si rigoureuses que toute tricherie était impossible. Au Stanford Institute de Californie, des physiciens aussi connus que Harold Putchoff et Russel Targ sont prêts à témoigner

Gabriella Marconi, journaliste italienne, en compagnie du parapsychologue M. Alexander, au cours d'une émission sur la psychocinèse.

L'une des clés du trousseau de Gabriella Marconi qui a été déformée par M. Alexander.

des extraordinaires capacités du jeune homme. Le professeur Bender, de Fribourg-en-Brisgau, dans une interview qu'il accordait à l'hebdomadaire *Match*, le 31 décembre 1976, déclarait quant à lui : « Je n'ai pas de doute après de longues études, aussi bien sur des témoignages que par des tests dans mon laboratoire, sur la réalité de ces phénomènes. Dans tous les pays où, à la télévision, Uri Geller a montré ses fourchettes et ses cuillères tordues, des milliers de personnes ont constaté que le même phénomène s'était produit dans leur foyer. »

Parmi les cas les plus spectaculaires, on a relevé celui d'un ménage de Karlstadt qui, le 6 janvier 1974, lors d'une émission télévisée du jeune Israélien, vit avec effroi les cinquante-six pièces du service d'argenterie familial devenir pratiquement inutilisables. À la quarantième pièce, impuissants à maîtriser les ravages, pris de panique, ils appelèrent la police. Les deux inspecteurs délégués sur les lieux témoignèrent alors officiellement qu'ils avaient vu, de leurs propres yeux, une fourchette que personne ne touchait, se dresser sur la table. Après enquête, le professeur Bender conclut que l'ampleur du phénomène était probablement imputable à la fille de la maison, Barbel, une adolescente de quatorze ans.

Un peu plus tard, la démonstration de Uri Geller, présentée en différé à la télévision de Stuttgart, eut des conséquences non moins étonnantes. Un téléspectateur avait découvert par hasard, en allant chercher de l'argent dans son coffre, que sa précieuse collection de pièces anciennes de la république de Weimar n'avait plus aucune valeur. Toutes les pièces, sans exception, étaient déformées. Furieux, il réclamait 50 000 marks de dommages et intérêts.

*L'« effet Geller » dans le ciel.*

Les fracassantes manifestations de Uri Geller ont défrayé la chronique mondiale entre 1969 et 1975. Depuis, on n'en a plus guère entendu parler en Europe, et ses détracteurs en ont profité pour prétendre qu'il avait perdu ses dons..., si tant est qu'il en eût ! L'opération psi de grande envergure qui s'est déroulée aux États-Unis, le 12 avril 1981, devrait les rassurer.

Ce jour-là, Geller, afin de montrer que les pouvoirs psi ne sont pas l'apanage de rares initiés, a pris place à bord d'un avion effectuant le trajet Los Angeles-New York. Lors de son passage, les

Américains qui souhaitaient participer à l'expérience devaient se concentrer sur des objets de métal (fourchettes, cuillères, barres métalliques, etc.) et sur des petits appareils aux mécanismes usagés (montres, réveils, transistors, etc.). Au moment où l'appareil survolait la région, chacun disposait d'un quart d'heure pour expérimenter. Pendant ce temps, à plusieurs kilomètres d'altitude, Uri Geller se concentrait. Selon lui, il servait seulement de *catalyseur*. Sa propre énergie psychocinétique était uniquement destinée à réveiller celle qui sommeillait dans l'esprit des autres. C'est eux qui agiraient directement sur les objets et non pas lui.

Les résultats de cette opération aérienne dépassèrent toutes les espérances. Au passage de l'avion, des milliers d'objets métalliques variés et des postes de radio détériorés (certains sans piles) se remirent à fonctionner pendant quelques minutes, parfois même une demi-heure. Des dizaines de milliers d'appels téléphoniques puis une avalanche de lettres submergèrent *The Star*, le journal américain à gros tirage qui finançait la tentative. On put alors dresser un bilan : environ 75 % des gens, convaincus ou non, qui avaient suivi les consignes données, avaient opéré avec succès. Bon nombre d'entre eux avaient continué à exploiter leur faculté psi pendant plusieurs jours. Cinquante mille personnes étaient concernées, peut-on raisonnablement prétendre qu'elles ont été le jouet d'une illusion ? D'éminents parapsychologues de l'université libre de Salt Lake City tels que Terry Fisher et Robert Lungham sont persuadés qu'il s'agit de « la plus grande expérience parapsychologique jamais tentée ». Cette expérience tendrait à prouver que la psychocinèse est une faculté psi aussi répandue que la télépathie.

*Ceux dont on parle moins.*

Si Uri Geller est un excellent propagandiste de ce phénomène psi, ce n'est pas une raison pour passer sous silence tous ceux qui, plus discrètement, œuvrent dans le même sens que lui. Parmi eux, Sylvio, un dessinateur industriel suisse, qui a accepté que ses expériences soient contrôlées en permanence par un groupe de chercheurs placés sous la direction de Bernard Wälti. Étroitement surveillé par un prestidigitateur expert en truquages, il a, d'autre part, travaillé dans le laboratoire du professeur Bender. Celui-ci, qui l'a observé de très près, l'a vu déformer, et parfois briser, des cuillères en les tenant seulement par le manche sans exercer aucune pression musculaire. Par la suite, un ingénieur de l'équipe de Hans Bender a mis au point des *safety bottles*, des bouteilles scellées, spécialement conçues pour que, seule, dépasse une partie de l'objet destiné à être éventuellement touché par l'opérateur. Sous l'action de Sylvio, des cuillères ou des fourchettes se sont rompues à l'intérieur de ces récipients hermétiques. Une bouteille qui s'était elle-même fissurée a été examinée par l'Institut pour la mécanique des corps solides à Fribourg qui a conclu que la fissure avait été provoquée par une force venue de l'intérieur de la bouteille.

Lorsqu'on parle de psychocinèse en France, c'est à Jean-Pierre Girard que l'on fait le plus souvent référence. Ce jeune employé d'un laboratoire pharmaceutique est allé, en 1977, jusqu'à Tokyo pour prouver, au 3e Congrès international de psychotronique, que l'esprit français était capable, lui aussi, d'agir sur la matière. Devant les caméras de télévision japonaises, il a réussi, après vingt minutes de passes au-dessus d'une boussole, à faire dévier l'aiguille d'une quinzaine de degrés. C'est seulement par l'intervention de sa volonté que celle-ci a consenti à revenir à zéro, au nord magnétique. Des millions de téléspectateurs et une centaine de personnes présentes l'ont vu ensuite déplacer d'environ 9 centimètres, sans aucun contact, un objet cylindrique. Plus tard, toujours à l'occasion de ce congrès et étant soumis à un contrôle particulièrement rigoureux, il a plié d'impressionnants barreaux métalliques qu'un hercule n'eût même pas déformés.

Le « cas Girard » est très scientifiquement étudié en France par William Z. Wolkowski, bio-physicien, maître de conférence à l'université de Paris. Dans une séance enregistrée sur magnéto-scope, devant un aréopage de physiciens européens, on peut voir J.P. Girard tordre — entre autres — un alliage d'aluminium employé dans la fabrication du Concorde. Ce métal avait été fourni par l'ingénieur métallurgiste lui-même, Charles Crussard, directeur scientifique de la Société Pechiney.

*Des armes psi ?*

À l'Est, il semble que l'on n'ait pas attendu aussi longtemps qu'en Occident pour découvrir les formidables capacités de l'esprit humain. En 1963 déjà, celui que l'on considéré comme le père de la parapsychologie en U.R.S.S., le physiologiste Leonid L. Vassiliev, expérimentait avec une femme, Ninel Kulagina, qui déplaçait des objets par la seule force de sa pensée. À la mort du savant, en 1966, différentes équipes de chercheurs scientifiques connus se sont attelés à l'étude du « phénomène Kulagina ». Ils constatèrent que Ninel était capable d'influencer l'aiguille d'une boussole et d'agir sur des objets, isolés ou non, dont le poids pouvait atteindre 500 grammes. Ce travail nécessitait de sa part un intense effort de concentration qui pouvait durer deux heures. Comme tous les sujets psi qui se livrent à ce genre d'exercice, son rythme cardiaque s'accélérait considérablement pendant qu'elle opérait, et elle ressentait ensuite une fatigue telle qu'il lui fallait un long temps de repos avant de récupérer.

Bien qu'ils gardent actuellement le secret sur les travaux, les Soviétiques — on en est maintenant certain — sont beaucoup plus en avance que nous dans la recherche psychocinétique. C'est, pense-t-on, une déclaration de Brejnev en 1973 qui aurait secoué la torpeur des Américains. Selon lui, les nations hautement industrialisées avaient tout intérêt à s'en tenir aux moyens connus de destruction nucléaire ou bactériologique, toutes autres armes à l'étude pouvant être infiniment plus redoutables. Aux États-Unis on en déduisit que, si les Russes mettaient si gentiment en garde les autres puissances, c'est que, précisément, ils travaillaient sur ce type d'armes dont ils entendaient garder le privilège. Mis sur l'affaire, les agents de la C.I.A. découvrirent en effet que les laboratoires militaires, derrière le rideau de fer, s'employaient très activement à étudier les effets de l'énergie psi. D'après un rapport publié en 1975, ces centres de recherche seraient au nombre de vingt-cinq et le budget qui leur serait alloué par le ministère de la Défense représenterait près de vingt millions de dollars. Des chiffres éloquents qui prouvent bien que, là-bas au moins, les forces psi ne sont pas tournées en dérision !

Ce déploiement d'efforts donne d'autant plus matière à réflexion que, pendant tout un temps, les Soviétiques ont rejeté la parapsychologie en considérant qu'elle était contraire à leur idéologie matérialiste. Le domaine psi leur paraissait trop entaché de spiritualisme pour qu'ils s'y consacrent. Un jour vint pourtant où ils flairèrent les ressources qu'on pouvait en tirer, notamment sur le plan militaire. Le compromis fut vite trouvé : on intégra les phénomènes psi aux recherches biologiques. Ainsi, pas d'incidences psychologiques ou spirituelles. Pour bien marquer la différence, on modifia tout bonnement le vocabulaire. En U.R.S.S., on n'étudie donc pas la parapsychologie mais la *bio-information*, on ne connaît pas la psychocinèse mais la *bio-énergie* et on échafaude de brillantes théories sur le *bio-plasma* (un état de la matière qui serait responsable de toutes les manifestations extra-sensorielles).

Tant de zèle ne pouvait qu'inciter les Américains à se pencher à leur tour sur la question. Une saine frayeur les poussa à faire diligence. Qu'adviendrait-il de notre planète s'il prenait la fantaisie aux sujets psi de l'Est d'agir à distance sur les précieux mécanismes du système de défense occidental ? On se mit alors à l'œuvre dans les laboratoires des États-Unis, où l'on ne tarda pas à s'apercevoir qu'à force de rationalisme, on avait minimisé les fabuleuses possibilités que pouvait offrir un champ d'investigation un peu trop négligé. Il serait prématuré de dire que la course aux armements psi est ouverte, mais une constatation s'impose : à l'Est, comme à l'Ouest, quantité de têtes pensantes reconnaissent la réalité des effets psi et les prennent au sérieux au point de croire que leur manipulation pourrait mettre nos vies en danger.

*La psychocinèse en culottes courtes.*

Certaines des démonstrations d'Uri Geller le prouvent : la psychocinèse n'est pas une faculté psi réservée à des sujets d'élite. Elle existe, à l'état latent, en chacun de nous, mais, d'après ce qu'on a pu constater, il faut *y croire* pour qu'elle puisse se manifester. Bien souvent, les adultes que la vie a recouverts d'une épaisse carapace de préjugés n'ont plus la foi, c'est pourquoi ils échouent. Les enfants, au contraire, sont de merveilleux sujets psi avec lesquels les parapsychologues obtiennent de très bons résultats.

Après le passage d'Uri Geller à Londres, il y a quelques années, deux collèges de cette ville furent le théâtre de tels exploits psychocinétiques que l'idée vint à leurs professeurs d'étudier de plus près les *talents* de leurs élèves.

C'est ainsi qu'au Birbeck-College, le professeur John Barett Hasted observe en laboratoire le comportement de jeunes Anglais dont l'âge varie entre douze et vingt ans. Après avoir éliminé impitoyablement les enfants que l'on peut soupçonner de simulation ou de mégalomanie, il retient une dizaine de sujets valables avec lesquels il expérimente aussi longtemps que possible. Jean-Pierre Girard, qui s'est rendu sur place en 1978, a pu voir une adolescente de seize ans, Julie Knoles, opérer sur une fourchette dont le manche s'est tordu au point de former une véritable boucle ; un garçon de quatorze ans, Nanou, transformer, par simple attouchement, une barre de métal en véritable sculpture, tandis qu'une jeune femme courbait à angle droit un couteau dont l'alliage, en temps normal, ne peut être plié sous peine de se casser.

Au Birbeck-College, on peut admirer d'étonnantes sculptures en métal que ne désavouerait pas un musée d'art moderne ; certaines, baptisées *scrunches*, sont incluses dans des globes de verre à l'intérieur desquels elles ont été façonnées. Ce sont toutes des œuvres psychocinétiques réalisées par des enfants. Le professeur Hasted explique que, pour expérimenter avec ses jeunes sujets, il faut que ceux-ci soient motivés. Il n'hésite donc pas à les complimenter chaleureusement chaque fois qu'ils obtiennent un résultat. Selon lui, la meilleure motivation propre à favoriser l'apparition du phénomène est la curiosité. L'enfant se pose des questions : Pourquoi ces pouvoirs ?... Pourquoi lui et pas les autres ?... On lui répond alors que les recherches auxquelles il participe permettront d'apporter une explication à des phénomènes encore mal connus. Se sentant concernés, les enfants psi se montrent coopératifs et réalisent des expériences toujours plus complexes avec de plus en plus de succès.

De son côté, le professeur John Taylor, qui enseigne les mathématiques appliquées au King's College de Londres, a étudié le cas de trente-huit personnes capables de produire un effet de psychocinèse, dont trente-quatre enfants, garçons et filles, de moins de dix-sept ans. Il rapporte dans son livre *Superminds* [1] que l'attitude des enfants pendant l'opération peut être très différente.

« Certains se concentrent fortement sur l'objet qu'ils fixent des yeux. Parfois ils se répètent mentalement : " Tords-toi, tords-toi, tords-toi. " L'un d'eux insulte même en silence l'objet qu'il tient : " Tords-toi, saleté, tords-toi. " D'autres, en revanche, semblent prêter peu d'attention au morceau de métal qu'ils sont en train de caresser. Ainsi, les objets se tordent entre les doigts d'une fille de onze ans tandis qu'elle est absorbée par son programme de télévision favori. Cette torsion paraît souvent se produire au moment où l'attention du sujet quitte un instant l'objet sur lequel il est en train d'essayer d'agir. »

Le professeur Taylor note également que les enfants obtiennent rarement des résultats s'ils doivent opérer devant des journalistes ou sous l'œil des caméras de télévision. Il cite deux cas particulièrement

---

1. Éditions Mac-Millan, Londres.

extraordinaires. Celui d'une fillette de douze ans qui, devant ses parents, a courbé à 40 degrés une tringle à serviettes de 6 millimètres de diamètre en acier chromé. Et celui d'une autre fillette de onze ans qui tord des pièces de métal en les tenant entre deux doigts de pied et en les effleurant avec deux autres doigts de l'autre pied. Comment pourrait-on agir par force musculaire dans une telle position ?

*L'origine de l'effet psychocinétique.*

Comme tous les phénomènes psi que la science n'a pas encore réussi à expliquer, la psychocinèse fait l'objet de diverses théories explicatives. Sans entrer dans le détail, on peut dire que les parapsychologues sont partagés entre deux grandes tendances.

Les uns pensent que c'est l'énergie émise par le sujet psi qui agit directement sur la matière. Dans ce cas, deux hypothèses sont avancées :

1. Le sujet est doué d'une faculté extra-sensorielle particulière pour produire ces effets.

2. Il n'existe pas de facultés extra-sensorielles spécifiques, c'est une particule psi encore mystérieuse qui serait responsable de tous les phénomènes paranormaux. Suivant les cas et les individus, cette particule pourrait être aussi bien à l'origine d'une transmission télépathique que d'une voyance ou d'un effet psychocinétique.

D'autres parapsychologues, dont le professeur Bender, se rallient à la thèse de certains physiciens avancés selon laquelle l'énergie qui agit sur un objet ne serait pas émise par le sujet mais par l'objet lui-même. Le sujet psi se contenterait de transmettre à la matière une information qui changerait le comportement aléatoire du corps corpusculaire.

*Les multiples aspects de la psychocinèse.*

Les phénomènes psychocinétiques qui peuvent être provoqués pour être étudiés à titre expérimental se manifestent aussi de façon spontanée. C'est alors que l'on parle de maisons hantées, de phénomènes de *Poltergeist* (esprit frappeur, en allemand). Autant de manifestations fantastiques sur lesquelles nous ne voulons pas nous étendre maintenant puisque — nous vous le rappelons — elles feront l'objet du chapitre suivant consacré à la magie.

Du point de vue expérimental on peut, en se référant à un important ouvrage [1] publié par le professeur Dierkens et sa femme, subdiviser les effets psychocinétiques provoqués en :

— Effets *statiques,* c'est-à-dire s'accomplissant à partir d'objets immobiles. Dans cette catégorie, on peut distinguer deux cas :

1. Un objet immobile est déplacé par la force de la pensée (exemple : table tournante).

2. Un objet immobile est modifié par la pensée dans sa forme ou sa structure (exemple : cuillère tordue).

— Effets *dynamiques* qui témoignent de la modification physiquement inexplicable d'un mouvement déjà existant (exemple : affolement d'une boussole).

— Effets *biologiques* qui englobent les modifications de plantes, les guérisons dites miraculeuses ou spirituelles, les modifications de fonctionnement physiologique, etc.

1. *Manuel expérimental de parapsychologie*, Casterman.

# LES EXERCICES

Il faut, bien entendu, être sujet *émetteur* (voir *Portrait psi,* p. 66) pour pratiquer la psychocinèse. Nous nous bornerons à vous indiquer trois exercices, tous les autres vous étant suggérés dans les pages précédentes. Comme les sujets psi dont il vient d'être question, vous pouvez en effet essayer de tordre des objets métalliques ou de remettre en marche des montres et des transistors qui ne fonctionnent plus. Puisque des enfants et des milliers de personnes réussissent cet exercice, pourquoi pas vous ? L'important, vous l'avez compris, c'est d'*y croire,* encore que ce ne soit pas toujours une règle impérative.

*Quelle méthode adopter ?*

En lisant les témoignages que nous vous avons présentés, vous avez pu vous rendre compte que les sujets psi qui réalisaient des expériences de psychocinèse avaient tous, plus ou moins, une méthode qui leur était personnelle. Certains font un intense effort de concentration mentale exigeant une dépense d'énergie considérable. D'autres, moins nombreux, se contentent d'orienter leur pensée vers l'objet sur lequel ils veulent agir. Dans tous les cas, chacun formule des injonctions mentales afin que l'objet se modifie ou se mette en mouvement. Suivant leur tempérament, les uns usent de simple persuasion, les autres ordonnent, exigent, vont même parfois jusqu'à insulter la matière qu'ils veulent influencer. La plupart ont besoin d'un contact avec l'objet qu'ils tiennent en main ou qu'ils effleurent, quelques-uns agissent par des passes à distance, d'autres, plus rares, ne font intervenir que leur esprit. En fait, peu importe la méthode pourvu que le résultat soit atteint.

C'est donc à vous qu'il appartient de trouver *votre* méthode. Pour vos débuts, nous pouvons cependant vous conseiller de :

— vous concentrer fortement sur l'objet en vous représentant mentalement la modification que vous désirez lui faire subir ou le mouvement que vous voulez lui donner. (Vous voulez tordre une cuillère ? Imaginez-la en train de se courber lentement. Vous voulez remettre une montre en marche ? Imaginez son tic-tac, la progression de la petite aiguille sur le cadran) ;

— poser l'objet dans une main et de l'effleurer de l'autre en répétant mentalement l'ordre que vous souhaitez voir exécuter : « Plie-toi », « Remets-toi en marche », etc.

*La durée de l'expérience.*

Vous l'avez vu, il n'y a pas de règles. Des sujets très doués mettent parfois une heure ou deux pour obtenir un résultat, mais parfois cinq ou dix minutes de concentration peuvent suffire.

**À noter** que, fréquemment, les objets *obéissent* à retardement, quelquefois plusieurs heures après que le sujet s'est concentré. En se fondant sur de multiples expériences, les scientifiques ont constaté que l'effet psychocinétique ne se produisait presque jamais pendant la concentration. Il ne se déclencherait qu'après un temps de repos, plus ou moins long, pendant lequel l'esprit se relâche.

*But des exercices.*

Les deux exercices suivants sont inspirés des expériences du professeur américain Rhine qui a été, il faut le souligner, un des premiers à faire des expériences quantitatives sur le phénomène de psychocinèse. En analysant les résultats de ces expériences complexes par les procédés employés dans le calcul des probabilités, on découvrit que la volonté des joueurs pouvait avoir une réelle influence sur des objets tels que les dés utilisés dans les jeux dits « de hasard ».

Comme il vous est naturellement impossible d'expérimenter dans des conditions aussi rigoureuses que celles imposées par Rhine à ses sujets, nous vous demandons de considérer les exercices suivants comme un jeu plutôt que comme une véritable expérience.

### 1er exercice : Un seul dé.

— Prenez un dé ordinaire dans votre main. Concentrez-vous 2 minutes environ en imaginant par exemple que le « un » va sortir.

● Chassez l'image du dé, faites le vide dans votre esprit.

● Sans penser à rien, lancez le dé. Notez votre résultat.

● Recommencez l'opération 12 fois de suite. Si vous obtenez 5 réussites (à cinq reprises, le « un » est sorti), vous pouvez considérer comme probable que votre pensée a agi sur le dé.

● Vous pouvez continuer cet exercice en demandant au dé de marquer « deux », puis « trois », etc.

### 2e exercice : Deux dés.

● Tenez une paire de dés ordinaires dans votre main. Concentrez-vous environ 2 minutes en imaginant que lorsque vous les aurez lancés sur la table, le total des points marqués sur leurs faces supérieures sera inférieur à 8.

● Chassez l'image des dés, faites le vide dans votre esprit.

● Sans penser à rien, lancez les dés. Notez votre résultat.

● Recommencez l'opération 12 fois de suite. Si vous obtenez 5 réussites (à cinq reprises vous avez totalisé moins de huit points), vous pouvez considérer comme probable que votre pensée a agi sur les dés.

● Vous pouvez continuer cet exercice en demandant aux dés de marquer non plus un total de points inférieur à 8, mais supérieur à 8.

### 3e exercice : Les pots de ray-grass.

Il s'agit de vous prouver que votre esprit peut agir sur la matière vivante comme il agit sur la matière inerte. Un certain nombre d'expériences menées en laboratoire (infiniment plus complexes que celle que nous vous proposons) ont montré que notre pensée (et peut-être notre magnétisme ?) peut agir sur la croissance des végétaux. C'est ce qui expliquerait que certains aient « la main verte ».

● Semez dans deux pots identiques remplis de la même terre une même quantité de graines de ray-grass (graines utilisées pour les pelouses).

● Disposez ces deux pots, proches l'un de l'autre, dans un endroit bien éclairé tel que l'appui d'une fenêtre. Il est indispensable qu'ils bénéficient tous les deux de la même luminosité et de la même chaleur. Arrosez les pots pendant toute la durée de l'expérience de la même quantité d'eau. Pour que la germination se produise, la terre doit être humide mais jamais détrempée.

● Un des pots, celui de droite par exemple, va vous servir de pot témoin. C'est-à-dire que la nature y fera son œuvre sans que vous interveniez, sauf pour l'arroser. Dès que les graines sont plantées, exercez votre influence sur le pot de gauche. Vous devez intervenir à heures fixes 4 fois par jour, 5 minutes durant. Chaque fois, tenez vos mains tendues à 4 ou 5 centimètres au-dessus du pot. Imaginez la germination des graines et suggérez-leur mentalement une pousse rapide.

● Lorsque les premiers brins d'herbe auront apparu, substituez à l'image de la germination celle de la croissance de l'herbe, et modifiez votre suggestion dans ce sens.

● Si votre faculté psi est intervenue, le pot de gauche sur lequel vous avez exercé votre influence doit se garnir plus rapidement de pousses d'herbe et, par la suite, être plus fourni, plus prospère que l'autre.

# 9

# La magie (E)

*Michel Moine raconte...*

À la fin de l'été 1945, un ami, M. Camille Guindon, domicilié à Ripère (Deux-Sèvres), à une dizaine de kilomètres de chez moi, vint me trouver : « Je ne sais pas si c'est de ton ressort, mais j'ai pensé qu'avec tes dons de radiesthésiste et d'hypnotiseur, tu pourrais peut-être sortir d'embarras un de mes voisins. Depuis quatre ou cinq mois, ce cultivateur a l'impression qu'il se passe quelque chose d'anormal chez lui : ses vaches meuglent indéfiniment, plusieurs d'entre elles ont crevé sans raison, et chaque soir, vers minuit, sa maison retentit de bruits inexplicables. Le pauvre homme finit par se demander si on ne lui a pas jeté un sort. Il aimerait que tu viennes chez lui. »

J'avais été trop souvent l'objet de sollicitations de ce genre pour ne pas me montrer d'une extrême circonspection. Les véritables manifestations de sorcellerie ne sont pas légion et, plus d'une fois, j'avais perdu mon temps et mon énergie pour des phénomènes qui relevaient plus de la psychothérapie ou de la psychiatrie que d'autre chose. Mon ami se fit cependant si pressant que je consentis à l'accompagner chez son voisin. C'était un homme déjà âgé dont la mine angoissée et la maigreur me frappèrent. « Si cela continue, me confia-t-il, je vais y laisser ma peau : j'ai perdu dix kilos depuis le début de cette histoire. » Je l'interrogeai longuement pour savoir s'il n'y avait pas quelque cause bien rationnelle à l'origine des « diableries » dont il se disait victime. La mort de ses vaches ?

Le vétérinaire n'y comprenait rien. Les bêtes n'étaient atteintes d'aucune maladie connue, et les étables avaient été désinfectées à plusieurs reprises ainsi que l'attestaient des certificats sanitaires. Les bruits ? À cette heure-là, aucune machine n'était susceptible de les produire. De plus, ils venaient de partout et on ne relevait aucune trace de rats ou de souris qui auraient pu les provoquer. L'enquête paraissant à priori négative, je demandai à mon interlocuteur s'il se connaissait des ennemis. Devant son air gêné, mon ami Guindon, qui assistait à l'entretien, m'informa que notre hôte avait d'interminables démêlés avec un fermier voisin à propos d'une certaine borne servant à limiter des champs, sur l'emplacement de laquelle on n'était pas d'accord. Notre cultivateur, qui avait retrouvé la parole, confirma que pour clore leur dernière discussion orageuse, son adversaire avait crié : « Tu auras affaire à moi... J'aurai le dernier mot, je suis le plus fort. »

Pour en avoir le cœur net, je décidai de revenir à la ferme pour assister aux phénomènes que l'on m'avait décrits. Je m'y rendis peu après onze heures du soir, avec quelques amis dont M. P.B..., qui pourrait encore en témoigner aujourd'hui. Nous étions dans la salle commune avec le cultivateur et sa femme quand, à minuit moins cinq, de curieux craquements se firent entendre dans la pièce. Les bruits n'étaient pas localisés, ils surgissaient de partout et plus particulièrement de l'intérieur des meubles et du grenier. L'examen de la pièce n'ayant rien révélé, nous montâmes en procession dans les combles, armés de triques et de fourches pour surprendre l'ennemi éventuel. Le cortège devait être pour le moins grotesque, mais tout occupés que nous étions à explorer les lieux avec des torches électriques, nous n'avions pas envie d'en rire. Rien, il n'y avait rien de suspect et pourtant, autour de nous, le vacarme continuait.

Le silence ne se rétablit que quelques heures plus tard. J'étais alors à peu près convaincu qu'il s'agissait bien d'un phénomène paranormal. Je pris notre hôte à part et lui dis que j'étais prêt à tenter quelque chose pour lui, à condition qu'il accepte de balayer de son esprit tous les sentiments de haine ou d'inimitié qu'il pouvait ressentir pour son voisin. Trop heureux d'entrevoir un espoir de délivrance, il promit. Pendant tous les jours qui suivirent, à l'heure probable où se produisaient les phénomènes, je me concentrai en imaginant mon « client » et en lui suggérant mentalement qu'il était fort, très fort, et que les puissances du mal ne pouvaient rien contre lui. Je pratiquai là une forme d'hypnose à distance qui devait servir de désenvoûtement.

Quinze jours plus tard, M. Guindon me téléphona que les bruits étaient en régression. Quatre jours s'écoulèrent encore, et il me rappela pour me dire que le calme semblait définitivement revenu dans la ferme hantée et que tout allait bien dans les étables. Par mesure de sécurité, je n'en continuai pas moins mon action. Il y eut alors un coup de théâtre. Mon correspondant me téléphona de nouveau : « On le tient ! s'exclamait-il avec un accent de triomphe. Viens nous rejoindre, je crois que notre envoûteur est pris à son propre piège. »

Lorsque j'arrivai sur place, on me raconta tous les détails de l'histoire. Le cultivateur suspect venait d'être trouvé inanimé dans son champ de betteraves. Après l'avoir examiné, le médecin qui se trouvait à son chevet se perdait en conjectures sur son état. J'étais présent quand le présumé envoûteur, un célibataire aigri d'après ses voisins, reprit peu à peu connaissance. Dès qu'il fut en état de parler, Camille Guindon l'interrogea sans ménagements excessifs : « C'est toi le sorcier, hein ?... Si tu veux guérir, tu ferais mieux d'avouer. » L'homme, la panique dans le regard, fit signe que c'était bien lui. M'étant, à mon tour, approché du lit, je lui demandai de nous dire où se trouvaient les objets dont il s'était servi. Il désigna l'armoire. En l'ouvrant, je découvris une poupée de chiffon plantée d'aiguilles, quelques bougies, un livre de sorcellerie et un grimoire de magie, *Le Dragon rouge*.

Sur sa couche, le sorcier faisait peine à voir : il paraissait terrorisé. Je lui assurai que le temps des bûchers était passé et lui expliquai qu'il avait été lui-même victime des forces qu'il avait voulu déchaîner contre un autre. Du moment qu'il avait la ferme intention de ne pas recommencer un tel exploit, il se remettrait probablement très vite sur pied. Il jura solennellement devant nous tous. Je crois qu'il tint parole. Mon « pouvoir » l'avait tant impressionné que, lorsqu'il fut complètement rétabli, il m'invita à boire un verre chez lui. Sans doute voulait-il être bien certain que nous avions tous les deux enterré la hache de guerre ?

Si je vous ai raconté un peu longuement cette histoire vécue, c'est qu'elle me paraît, en tout point, exemplaire. Il est en effet peu fréquent qu'un phénomène d'envoûtement soit aussi irréfutable que celui-ci où l'envoûteur a lui-même reconnu son action néfaste. Maléfiques pour l'envoûteur, bénéfiques pour l'hypnotiseur, les pouvoirs de l'esprit humain sont ici largement démontrés. Les démons, les dieux malins, les esprits frappeurs sont dans nos têtes, et c'est nous qui sommes responsables de leurs agissements supposés, que ce soit en mal ou en bien. Comme nous allons essayer de vous le montrer, il se cache seulement, derrière les mots de *magie* ou de *sorcellerie,* des phénomènes naturels que les religions et la croyance populaire se sont plu à entourer de mystère, faute de pouvoir les expliquer rationnellement.

Le dictionnaire Larousse définit ainsi le mot *magie :* « Art prétendu de produire, au moyen de pratiques bizarres, des effets contraires aux lois naturelles. »

C'est là une définition sur laquelle nous ne pouvons pas être d'accord. Nous dirons donc que la magie est l'utilisation d'un pouvoir psychique intense, renforcé par un rituel, qui permet à celui qui le met en œuvre d'obtenir des effets apparemment contraires aux lois de la nature. La technique magique se sert de forces naturelles pour parvenir au but désiré. Ces forces en elles-mêmes ne sont ni bonnes ni mauvaises, c'est l'intention de leur manipulateur qui les rend tantôt maléfiques, tantôt bénéfiques.

*Jadis, la magie...*

On attribue les origines de la magie aux mages de la Médie (ancien pays d'Asie). Mais on pense que déjà, au temps des cavernes, les chasseurs *envoûtaient* leurs proies futures par des pratiques magiques dont on trouve encore des traces sur les parois de certaines grottes comme celle de Lascaux (Dordogne) ou celles d'Altamira (Espagne). Les peintures d'animaux que l'on peut y voir n'étaient pas, à l'époque, des œuvres d'art mais des œuvres sacrées, religieuses et magiques tout à la fois. En peignant, en recréant en pensée l'image du bison qu'il voulait atteindre ou du lion qui le menaçait, l'homme préhistorique savait qu'il augmentait considérablement sa puissance sur lui. Par cette représentation mentale, il *envoûtait* l'ennemi ou le gibier qu'il voulait tuer. On en est venu à cette conclusion en remarquant que les animaux représentés sur ces fresques avaient presque tous les points d'impact des coups qu'on souhaitait leur porter.

Certaines pratiques de magie, qui se perpétuent encore de nos jours, remontent à la plus haute Antiquité. Elles avaient cours aussi bien en Chine, en Inde et en Mésopotamie qu'à Rome, en Grèce et surtout en Égypte. Les prêtres égyptiens étaient des magiciens officiellement reconnus qui exerçaient leur art dans les sanctuaires. D'après les historiens, le pharaon Ramsès III faillit perdre la vie à la suite d'un envoûtement commandé par une bande de conspirateurs.

Au musée du Caire, sont conservées de petites figurines d'argile grossièrement modelées représentant des ennemis du pharaon ou des personnages supposés néfastes. Ces statuettes étaient enfouies dans le sol à l'occasion de cérémonies pendant lesquelles on répétait des formules magiques destinées à neutraliser l'ennemi. Celui-ci, la cérémonie terminée, devait se retrouver paralysé.

Les Égyptiens utilisaient aussi la magie à des fins plus avouables : pour conquérir l'objet de leur flamme (en principe célibataire) ou pour restaurer l'harmonie d'un couple. Leurs recettes de philtres d'amour détaillées sur papyrus ont fait le bonheur — espérons-le ! — de plus d'un Grec ou d'un Romain qui, par la suite, les ont empruntées.

En France, le Moyen Âge est certainement l'époque la plus fertile en envoûtements. Certaines affaires célèbres restent dans les annales. C'est ainsi que Enguerrand de Marigny, surintendant des Finances sous Louis X le Hutin (1289-1316), fut pendu haut et court après que l'on eut retrouvé chez lui des statuettes percées d'aiguilles modelées à l'effigie du roi. On sut après coup, mais trop tard, qu'il s'agissait d'un complot destiné à perdre le ministre : les figurines avaient été cachées à son domicile par ses ennemis politiques.

Autre ténébreuse affaire sous Philippe VI de Valois (1293-1350) : beau-frère du roi, le comte Robert d'Artois est soupçonné d'avoir fait réaliser par un moine apostat, le frère Henry, une poupée de cire représentant l'héritier du trône, le futur Jean le Bon. La mort du dauphin lui aurait peut-être permis de régner, mais il est démasqué et doit s'enfuir précipitamment en Angleterre.

Plus tard, en 1392, Charles VI, dit le Bien-Aimé, est frappé de folie. Il serait, dit-on, la victime de sortilèges. En réalité, on se demande maintenant si ce n'est pas son épouse, Isabeau de Bavière, qui l'aurait empoisonné à petit feu pour se débarrasser de lui.

À la fin du Moyen Âge et plus encore sous la Renaissance, la chasse aux sorciers et aux sorcières bat son plein. Les tribunaux n'en finissent plus de juger des affaires de sorcellerie qui, bien souvent, n'en sont pas. À cette époque, tous les prétextes sont bons pour accuser quelqu'un de magie noire, les honnêtes gens n'hésitent pas à appeler le diable à la rescousse pour régler leurs comptes personnels. On ne compte plus les hystériques qui, n'ayant pas réussi à séduire un homme, le traîne devant les juges en assurant qu'elles ont été envoûtées et possédées contre leur volonté. Refusant un forfait que, la plupart du temps, ils n'ont pas commis, les accusés sont soumis à la torture. Poussés à bout, ils finissent alors par reconnaître leur prétendu crime, si bien que les bourreaux ne chôment pas. Les exorcistes encore moins, qui font une grande consommation d'eau bénite pour chasser les démons des corps où ils auraient élu domicile. Pendant toute cette période, la sorcellerie peut être considérée comme une véritable épidémie. Tout le monde est atteint, tout le monde y croit, y compris les sommités intellectuelles les plus en vue comme le médecin alchimiste Paracelse ou le chirurgien Ambroise Paré, qui estime que certaines maladies sont d'origine magique.

Au XVIIe siècle, Satan mène toujours le bal. Tout un couvent de jeunes ursulines s'agite soi-disant sous sa férule en 1632. C'est la fameuse affaire des possédées de Loudun. Reconnu coupable d'avoir signé un pacte avec le diable, Urbain Grandier, un malheureux prêtre dénoncé par les religieuses, est affreusement torturé puis brûlé vif.

À la cour de Catherine de Médicis, astrologues, magiciens et devins sont très prisés. Pendant la maladie de Charles IX, en 1574, on raconte que la souveraine fait immoler un enfant au cours d'une messe noire connue sous le nom d'Oracle sanglant.

La marquise de Montespan ne dédaigne pas non plus ce genre de cérémonie puisqu'elle a, paraît-il, recours à un spécialiste des messes noires, l'abbé Guibourg, pour conquérir à jamais le cœur du roi Louis XIV. Ce prêtre était alors un suppôt de la Voisin qui ne fut pas seulement célèbre pour ses poisons (élégamment appelés « poudres de succession »), mais aussi pour ses philtres d'amour et ses envoûtements. Le Tout-Paris s'arrachait ses services. Quatre cents personnes furent inculpées dans cette affaire aux épisodes tous plus horribles les uns que les autres, trente-six seulement furent condamnées à mort dont la Voisin qui périt sur le bûcher le 20 février 1680.

Avec le triomphe du rationalisme, au XIXᵉ siècle, la magie est pratiquée avec plus de discrétion. Les sorciers, les magiciens exercent leurs talents dans l'ombre, en attendant des jours meilleurs. Ils n'ont pas tort, car il semble que ces jours-là soient arrivés : nous sommes en train de les vivre.

*La magie au XXᵉ siècle.*

En effet, on s'aperçoit aujourd'hui que l'attrait du mystère resurgit, que la fascination pour les phénomènes inexplicables revient à la mode. À l'ère du nucléaire et des vols spatiaux, les hommes saturés de technique laissent à nouveau vagabonder leur imagination vers d'antiques croyances. La foi en la magie est intacte. Inutile d'aller dans des brousses lointaines ou dans des campagnes reculées pour trouver les sorciers du XXᵉ siècle, nos villes en sont pleines. Les mages, les pythonisses modernes ont presque tous pignon sur rue, paient patente, vantent leurs mérites à grand renfort de publicité et, si l'on en croit certaines enquêtes, tirent de substantiels profits de leur négoce. Ces commerçants avisés seraient, en France, au nombre de 10 000 environ qui se partageraient un marché de 1 600 000 000 de francs. Ce chiffre a été évalué en 1979 en tenant compte de 4 000 000 de fidèles qui consulteraient, deux fois l'an, pour un prix moyen de 200 francs. Chez certains professionnels de grand renom, le prix de la consultation peut monter jusqu'à 800 francs et parfois beaucoup plus.

Comment expliquer ce renouveau d'intérêt pour le phénomène magique dans notre monde contemporain ? Il serait déraisonnable de penser que ceux qui croient peu ou prou à l'occultisme sont tous des superstitieux, des ignorants ou des simples d'esprit. En regardant autour de soi, il est facile de se convaincre que ce ne sont pas non plus les déshérités, les mal lotis de notre civilisation qui ont l'exclusivité de cette croyance. Des nantis qui, apparemment, peuvent tout s'offrir ou presque, des intellectuels de haute volée, des hommes politiques de tout bord constituent une grande partie de la clientèle des mages et des voyantes. Ce qui conduit à penser que l'homme, si évolué soit-il, a conservé, au cours des siècles, son âme primitive. La crainte et, en même temps, la fascination qu'il éprouve pour l'inconnu, l'inexpliqué, font partie de sa nature profonde et lui donnent sa dimension spirituelle. Dans notre monde aride que le matérialisme dépouille peu à peu de tout idéal, quoi de plus normal que l'esprit humain se tourne vers la magie comme vers une des rares sources d'espoir qui lui reste ?

La plupart de ceux qui ont foi en la magie croient, par ces pratiques, s'en remettre à des puissances surnaturelles. Certains paient très cher de soi-disant interventions divines ou démoniaques pour réaliser leurs secrets désirs. D'autres, qui pensent être victimes de ces mêmes interventions, paient tout aussi cher pour en être délivrés ou se résignent et vivent souvent un véritable martyre. Crédulité mal placée dans un cas comme dans l'autre, car ces forces extérieures auxquelles l'homme s'imagine recourir sont, en réalité, enfouies à l'intérieur de lui-même. L'étude de tous les phénomènes parapsychologiques nous le prouve : ce ne sont pas *les* esprits qu'il nous faut invoquer pour agir à notre place, mais *notre* esprit. Mages ou sorciers, tous ceux qui font acte de magie ne puisent pas ailleurs que dans leur esprit les pouvoirs qu'on leur attribue. Vrais ou faux ces pouvoirs ? Toute la question est là. En matière de magie, il faut bien reconnaître que le charlatanisme règne plus que partout ailleurs. Des véritables spécialistes... il en existe, c'est certain. Malheureusement, on peut déplorer que leurs pratiques soient plus souvent orientées dans le sens du mal plutôt que dans celui du bien.

*L'envoûtement.*

Le processus magique est toujours le même : dynamisation d'une pensée dirigée vers un but unique par une volonté entraînée.

La magie peut être *blanche* ou *noire,* selon les buts poursuivis. Elle est noire quand l'objectif se révèle maléfique : maladie ou mort d'êtres vivants, actions visant à ôter le libre arbitre d'un individu. Elle est blanche quand le résultat recherché est bénéfique : guérison, exorcisme de mauvaises influences.

Les résultats obtenus sont proportionnels autant à la puissance de l'*émetteur* qu'à la réceptivité du *receveur.*

Dans le langage courant, il est communément admis que les *sorciers* œuvrent pour le mal et les *mages* pour le bien. C'est là un distinguo un peu hâtif, car, dans la pratique, il n'est pas rare de trouver des opérateurs, comme les sorciers de village, tout aussi capables de guérir que de jeter la désolation.

L'*envoûtement* est un acte magique essentiel. (Le *désenvoûtement,* qui rétablit l'équilibre perturbé, peut être considéré comme un envoûtement à rebours.) C'est un phénomène qui s'apparente aux phénomènes télépathiques ou hypnotiques (influence à distance sur un être vivant). Il entraîne parfois d'autres phénomènes télécinétiques [1] : bruits, déplacements d'objets qui, pense-t-on, seraient provoqués par la personne envoûtée.

Le mot *envoûtement* vient du latin *vultus,* qui signifie « image » (*voult* en vieux français). C'est donc sur une image (photo) ou, par extension, sur un simulacre à la ressemblance de la personne que l'on vise que se pratique l'envoûtement.

On peut distinguer deux sortes d'envoûtements :

— *Les envoûtements inconscients.*

Dire du mal de quelqu'un ou lui en souhaiter mentalement par jalousie ou par haine est une forme d'envoûtement que beaucoup pratiquent sans en imaginer les conséquences. Soit par faiblesse d'esprit, soit par peur, certaines personnes en effet sont très sensibles à ce genre de choses. Le cas est relativement fréquent dans les campagnes où, tout le monde se connaissant plus ou moins, les calomnies et les méchancetés ont vite fait de revenir aux oreilles de ceux qui en font les frais. À la suite de propos venimeux ou de menaces, la victime s'imagine qu'on lui a jeté un sort ; elle se suggestionne et perd totalement la maîtrise d'elle-même au point que, parfois, sa raison chavire. Ces cas relèvent de la psychothérapie ou de la psychiatrie.

On peut également considérer comme des victimes d'envoûtements inconscients des personnes qui se comportent en quelque sorte comme des « éponges psychiques » parce qu'elles sont hypersensibles aux *ondes* bonnes ou mauvaises qui passent à leur portée. Pour ramener ces envoûtés d'un genre particulier à leur état normal, la pratique du désenvoûtement est souvent efficace. Débarrassés de leur hantise, les intéressés n'en connaissent jamais la cause, ni l'auteur de leurs maux.

---

1. Phénomènes de psychocinèse à distance.

— *Les envoûtements conscients.*

Ils sont pratiqués avec la volonté bien déterminée de nuire ou de faire du bien (désenvoûtement). Ces envoûtements — contrairement aux précédents — sont du domaine de la magie. La démarche psychologique de l'envoûteur est semblable à celle des calomniateurs ou des envieux, mais, cette fois-ci, elle est pratiquée sciemment, savamment, dans un but bien précis. L'action du magicien est presque toujours efficace si le sujet visé est averti de ce qui l'attend. C'est pourquoi la meilleure arme des sorciers est la menace régulièrement répétée qui intoxique littéralement sa victime. Celle-ci terrifiée, obsédée, finit par succomber à un véritable empoisonnement mental. C'est alors que son esprit peut être à l'origine de phénomènes secondaires comme ceux auxquels on assiste dans les maisons dites hantées : on entend des bruits extraordinaires, les meubles bougent, etc. Autrement dit, l'envoûteur n'est pas réellement maître des forces qu'il déchaîne, l'envoûté le relayant parfois pour déclencher d'autres phénomènes capables d'agir aussi bien sur les choses que sur des êtres vivants tels que les animaux.

## À quoi sert le rituel ?

Le *rituel* tient une place capitale dans les pratiques d'envoûtement. Il a pour but de dynamiser la volonté de l'opérateur, qui ne peut atteindre son but que s'il est animé d'un désir farouche d'y parvenir. En excitant tel ou tel des cinq sens, les rites renforcent son pouvoir de concentration. Comme les prêtres ou les fidèles d'une quelconque religion, le magicien a besoin d'un cérémonial pour se recueillir à sa façon. Sa tenue vestimentaire, les lieux où il officie, la manière dont ils sont éclairés, les incantations, les formules magiques, certaines sonorités, certaines odeurs comme celles du santal ou de l'encens, sont autant de *supports* qui lui permettent de mieux se concentrer. Certains procédés spectaculaires, souvent macabres, l'aident à cristalliser encore davantage sa volonté. Préparer des mixtures infâmes à base de sang et de débris humains, prélever des clous de cercueil dans un cimetière à minuit, pétrir des aliments avec la main d'un cadavre n'est pas à la portée de tout le monde !

Tous ces rites dont il existe une infinie variété mobilisent l'opérateur tout entier, l'empêchent d'éparpiller ses pensées qui doivent converger vers un but unique. Ainsi entraînée et décuplée, sa volonté est alors en mesure d'influer sur l'esprit et le physique de la personne visée. Tantôt c'est par haine pour détruire, ruiner ; tantôt c'est par amour dans l'intention d'inspirer le même sentiment. Haine et amour sont en effet les deux seuls mobiles assez puissants pour que l'envoûteur parvienne à ses fins. Lorsqu'il n'agit pas pour lui-même, il est payé pour se substituer à son client et ressentir ces mêmes sentiments.

On a observé (comme c'est le cas pour les phénomènes psychocinétiques, voir p.215) qu'une opération magique réussie se déroulerait en deux temps :
1. le magicien se concentre en observant un rituel ;
2. le magicien lâche la bride à son esprit, se déconcentre, et laisse les choses s'accomplir.

La magie obéirait là à une loi tout à fait naturelle à laquelle n'importe quel cultivateur est obligé de se soumettre : après avoir planté et, éventuellement, arrosé, il ne lui reste plus qu'à attendre que la germination se fasse. Cette même loi peut être vérifiée dans la vie de tous les jours. On constate, par exemple, qu'un événement ardemment désiré se produit au moment où on ne l'attendait plus ; ou encore que les chances sont plus grandes de réussir un examen quand, après avoir durement travaillé, on s'impose une période de repos avant de l'aborder.

## Comment procèdent les envoûteurs ?

Ils opèrent presque toujours sur une *dagyde,* petite poupée de cire ou de chiffon qu'ils modèlent à l'effigie de leur future victime. Parfois, ils incorporent à cette statuette des rognures d'ongles, des cheveux provenant de l'intéressé. Certains collent sa photographie [1] sur la figure de la poupée qu'ils habillent avec des lambeaux de tissu lui ayant appartenu.

L'opération a lieu de préférence la nuit, afin de trouver la victime dans un état de moindre résistance. S'il s'agit d'un envoûtement de haine, on perce progressivement les membres de la *dagyde,* on la maltraite en prononçant des formules appropriées (voir p.228). Au contraire, s'il s'agit d'un envoûtement amoureux, on la caresse en

1. Les magiciens modernes se contentent souvent d'une photographie qui, à elle seule, remplace la *dagyde.*

répétant de tendres litanies. Les manœuvres s'inspirent d'un rituel traditionnel mais peuvent varier selon l'imagination et l'ingéniosité de l'opérateur.

En magie noire, on peut aussi utiliser le *pentacle envoûteur*. Sur un parchemin vierge, on trace des caractères magiques dont il n'est pas nécessaire de connaître le sens ésotérique, puis les noms de l'envoûté et des génies qui ont présidé à sa naissance. On officie vers minuit, à la lumière d'une chandelle noire, dans un cercle magique, en prononçant diverses incantations. Le *pentacle* enfermé dans un sachet doit alors être rapidement cousu dans les vêtements de la victime ou caché dans son oreiller ou son matelas. C'est par son intermédiaire que se transmet l'influence de l'envoûteur.

La *charge* est employée pour ensorceler des animaux. On la prépare soit avec une chauve-souris, soit avec un serpent ou un lézard qui sont censés représenter l'animal visé. Il faut alors que cette *dagyde* vivante se trouve en contact (même indirect, par l'intermédiaire de poils ou de plumes) avec la victime. Après quoi, on la tue le plus lentement possible à l'aide d'un couteau neuf en répétant diverses incantations. La *charge* doit être ensuite enterrée sur les lieux de passage journalier des bêtes à envoûter : au seuil d'une étable ou d'un poulailler, à l'entrée d'une ferme ou d'un pâturage.

Pour satisfaire les désirs de domination sexuelle, il existe un envoûtement particulièrement efficace, dit-on, qui n'a rien de commun avec les messes noires célébrées avec le concours d'un prêtre sacrilège. La difficulté, pour l'homme ou pour la femme, est de se procurer un partenaire consentant à s'imaginer qu'il est l'envoûté. Quand on l'a déniché, on accomplit l'acte charnel avec ce substitut, plusieurs semaines de suite, en observant un rituel particulier.

On peut procéder d'une autre manière, avec une photo de l'être désiré et un objet lui ayant appartenu : mouchoir, mèche de cheveux, etc. La photo doit être fixée sur un carton de couleur verte (couleur de Vénus) et placée entre trois bougies également vertes, disposées en triangle ; l'objet est enfermé dans un petit sac de soie de même couleur. Ces deux *supports* magiques reposent sur une table couverte d'une nappe rose. À leur gauche, brûle un peu de benjoin. L'opération magique doit être entreprise à une heure tardive, vers minuit, et répétée plusieurs soirs de suite à la même heure. L'envoûteur s'assied devant l'autel magique et se concentre en imaginant la personne représentée sur la photo. Sa main droite posée sur le portrait, il répète des incantations : « Tu te sens attiré(e) vers moi… Chaque jour, tu penses à moi davantage… » Au fur et à mesure que les jours passent, les suggestions se font plus précises, plus impérieuses : « Tu désires me rencontrer… Tu veux me voir tel jour… », etc.

Lorsqu'il est sérieusement pratiqué, le *retour d'affection* dont certains mages se font une spécialité n'est pas autre chose qu'un envoûtement.


## Les dangers de l'envoûtement.

Nous ne nous étendrons pas sur les tourments infligés aux victimes d'un envoûtement de haine : angoisses, hallucinations visuelles ou auditives, obsessions, tout cela allant de pair avec des malaises physiques dont l'aboutissement peut être la folie, voire la mort.

S'ils ont des conséquences moins tragiques, les envoûtements d'amour ne sont guère plus concluants. Mystérieusement attirée par quelqu'un qu'elle n'aime pas réellement, la victime de cette sorte d'envoûtement n'est généralement qu'un piètre partenaire pour celui ou celle qui croit l'avoir conquise. Un profond et perpétuel malaise règne dans le couple, si bien que c'est souvent le responsable de l'envoûtement lui-même qui prend l'initiative de la rupture. Tel est pris...

Dans une opération magique, les envoûteurs — comme on l'a vu au début de ce chapitre — ne sont pas toujours gagnants, ils courent en effet le risque de voir leurs manœuvres se retourner contre eux. Ils subissent alors ce qu'on appelle le *choc en retour*. Ce phénomène très violent se produit lorsque les forces déchaînées par le *sorcier* rencontrent, chez la victime désignée, d'autres forces aussi puissantes qui lui viennent d'une bonne santé à la fois physique et morale. Dans ce cas, le sortilège, comme une balle lancée avec force, rebondit sur l'obstacle et, par un effet de boomerang, revient frapper son envoyeur. C'est pourquoi, bien que nous prônions dans ce livre l'expérimentation personnelle, nous vous déconseillons vivement de jouer aux apprentis sorciers sur les chemins du mal.

Nous nous proposons, en revanche, de vous initier à une technique dont on ne peut attendre que des bienfaits : celle du *désenvoûtement*.

# LES EXERCICES

*But des exercices.*

Sans cérémonial magique, mais à l'aide des connaissances para-psychologiques que vous avez déjà acquises, nous allons vous apprendre comment neutraliser les effets nocifs d'un envoûtement. Cet apprentissage vous sera considérablement facilité si vous êtes bien familiarisé avec les expériences d'hypnomagnétisme (voir p. 160 à 194).

La technique de *désenvoûtement* que nous préconisons peut indifféremment agir sur une personne qui est envoûtée par :
— elle-même (autosuggestion) ;
— un tiers inconscient (propos menaçants, calomnies) ;
— un envoûteur (pratiques magiques).

Le désenvoûtement — comme l'envoûtement — suppose l'exercice d'une volonté très forte. Il faut donc posséder les qualités d'un très bon sujet *émetteur* (voir *Portrait psi* p. 66) pour le pratiquer.

**Exercice préliminaire : Favoriser la concentration.**

Reportez-vous à l'apprentissage de l'hypnomagnétisme où cet exercice est décrit p. 160.

**1er exercice : Le désenvoûtement à distance.**

★ 1re phase :
Vous devez pouvoir visualiser parfaitement la physionomie de la personne que vous désirez désenvoûter. Pour cela :

• Regardez attentivement, pendant une minute environ, la photographie du sujet.

• Fermez les yeux et essayez de reproduire mentalement, le plus fidèlement possible, les traits du visage que vous venez d'observer.

• Recommencez l'exercice jusqu'à ce que vous obteniez l'image mentale la plus parfaite possible. Ce travail peut vous demander plusieurs jours, à raison de 5 à 10 minutes par jour.

★ 2e phase :

• Pour procéder au désenvoûtement, installez-vous confortablement dans une pièce où vous serez seul et à l'abri de toute distraction. Choisissez une heure où vous vous sentez généralement dispos. L'opération devant avoir lieu tous les jours, pendant deux ou trois semaines au minimum, vous devez pouvoir vous libérer quotidiennement à cette même heure. Une heure dont vous conviendrez avec votre sujet, car lui aussi doit être disponible.

• Au moment où vous opérez, le sujet est chez lui. Pour qu'il soit parfaitement réceptif à vos suggestions, demandez-lui de s'allonger et de se mettre en état de relaxation (voir p. 73) pendant tout le temps de l'opération, c'est-à-dire 10 à 15 minutes. Recommandez-lui de rester neutre en pensée et surtout de *chasser toute haine de son esprit*.

• Sachant que le sujet est réceptif, fermez les yeux, visualisez mentalement son image tout en suggérant : « Vous êtes calme, très calme... Votre esprit est libéré de tout souci... Vous êtes en bonne forme physique... Vous vous sentez parfaitement maître de vous-même... Vous êtes libre d'agir comme vous le voulez... Vous êtes entouré d'amis... Tout le monde vous veut du bien... Vous aimez tout le monde... Vos pensées sont positives... Vous vous sentez bien... », etc.

• Toutes les deux ou trois séances, prenez contact avec le sujet afin de mesurer les progrès accomplis. En fonction de ce qu'il vous dira, modifiez peu à peu vos suggestions jusqu'à ce qu'il ait retrouvé sa sérénité. Quand il vous aura confirmé ce résultat, continuez vos efforts pendant encore une dizaine de jours afin de le stabiliser dans son état.

**2ᵉ exercice : Le désenvoûtement en présence du sujet.**

En principe, la technique de désenvoûtement est plus efficace si le sujet peut rencontrer quotidiennement l'opérateur.

● Asseyez-vous en face du sujet. Demandez-lui de se relaxer, de rester neutre en pensée et surtout de chasser toute haine qu'il pourrait avoir dans l'esprit.

● Pendant tout le temps de la séance, effectuez des *passes lentes* (voir technique p. 184) sur tout le corps du sujet, de la tête aux pieds. En suspendant parfois le travail de passes, suggestionnez-le à voix haute comme dans l'exercice précédent. Chaque suggestion doit être accompagnée d'une représentation mentale de l'état suggéré.

● À la fin de la séance, qui dure environ 15 minutes, remplacez les passes lentes par des *passes rapides* (voir technique p. 185) effectuées pendant 30 secondes environ. Suggérez en même temps : « Vous êtes bien, parfaitement bien... Cette séance est terminée, vous allez reprendre vos activités normales... Vous serez en parfaite possession de tous vos moyens... »

● En bavardant avec le sujet, avant chaque séance quotidienne, vous pourrez mesurer les progrès accomplis et modifier vos suggestions en fonction de ce qu'il vous dira. Comme pour le désenvoûtement à distance, vous devrez poursuivre vos efforts une dizaine de jours, après que le sujet vous aura assuré qu'il a retrouvé sa sérénité.

# En guise de conclusion...

Il est des matières où une conclusion s'impose facilement : tout est clair et précis. Dans le domaine de la parapsychologie, toutes les conclusions ne peuvent être que provisoires. Le psi évolue chaque jour ; une hypothèse valable aujourd'hui est remplacée, demain, par une autre. La parapsychologie est un monde en évolution permanente. Les rationalistes, les scientistes, les conformistes de toutes les disciplines sont « déstabilisés », pour employer un terme à la mode, et leurs discours ne sont que le reflet de leur désarroi ou de leur mauvaise foi.

Juste retour des choses, depuis quelques décennies, nombre de savants, des authentiques ceux-là, n'ont pas hésité à franchir quelques apparentes contradictions pour oser chercher des explications aux phénomènes psi. Y parviendront-ils ? Peut-être. En attendant, ils ont choisi la bonne voie, celle de l'honnêteté intellectuelle : au lieu de rejeter en bloc la parapsychologie, ils ont eu le courage de la mieux connaître pour mieux l'étudier. Cette démarche est celle de cet ouvrage qui n'est autre qu'un bilan d'expériences et d'observations.

À vous, sceptique ou non, d'agir aussi dans ce sens : n'hésitez pas à expérimenter sérieusement, entraînez-vous à découvrir vos facultés latentes, cherchez le contrôle et les conseils des milieux scientifiques. Sachez qu'il existe, aujourd'hui, des physiciens, des philosophes, des médecins, des psychologues qui ne répugnent pas à participer à des expériences de télépathie, de psychocinèse ou de clairvoyance. Ceux-là ne négligent pas l'héritage de l'empirisme, ils estiment que la méthode expérimentale peut guider efficacement leurs recherches. Des recherches qui apporteront peut-être, demain, au monde une nouvelle éthique... Comme se plaît à le dire le professeur Rémy Chauvin : « ...l'inattendu peut toujours arriver ».

# Glossaire

*Agent :* Personne qui, d'une façon volontaire ou non, est à l'origine d'une transmission de pensée. L'agent est un *émetteur*.

*Autosuggestion :* Idée que l'on croit vraie et que l'on se suggère à soi-même.

*Bio-énergie :* Terme russe équivalent de la psychocinèse (voir ce mot).

*Bio-information :* Terme russe équivalent de la parapsychologie (voir ce mot).

*Bio-plasma :* Terme russe désignant un certain état de la matière qui serait responsable de toutes les manifestations extra-sensorielles.

*Cartes E.S.P. ou de Zener :* Jeu de 25 cartes créé par le docteur Zener, utilisé au cours des expériences de perception extra-sensorielle (E.S.P. : Extra Sensory Perception) dans un but d'étude statistique.

*Cartomancie :* Divination par les cartes à jouer (tarot et autres jeux).

*Catalepsie :* État d'insensibilité totale ou partielle provoqué en général par la suggestion hypnotique.

*Chirologie :* Étude des lignes de la main (forme, lignes, etc.) pour déterminer des prédispositions naturelles existantes (tendances psychologiques, pathologiques, etc.).

*Chiromancie :* Prédiction de l'avenir par l'étude des formes, des lignes et des signes de la main.

*Clairvoyance :* Faculté permettant à certains sujets de percevoir des informations inaccessibles aux sens habituels. Ces informations peuvent se manifester sous des formes très diverses : intuitive, symbolique, associative, visuelle, auditive, olfactive, tactile. (Synonyme : voyance.)

*Émetteur :* Personne qui transmet, en général par sa pensée, et sans utiliser ses sens habituels, un message susceptible d'être interprété ou exécuté par un sujet *récepteur*. L'émetteur peut aussi influencer la matière inerte ou en mouvement (psychocinèse).

*E.S.P.* (Extra Sensory Perception) : Terme anglais vulgarisé par Rhine. En français : perception extra-sensorielle. Dans l'esprit de Rhine, la perception extra-sensorielle englobe les phénomènes de télépathie et de clairvoyance sous toutes leurs formes.

*Hypnotisme (ou hypnose) :* En théorie, le mot *hypnotisme* peut être réservé à la pratique de l'hypnose, le mot *hypnose* s'appliquant à cet état. En réalité, les deux termes s'emploient indifféremment.
Technique qui, par suggestion et autosuggestion, peut produire chez certains sujets sensitifs des symptômes et des phénomènes très variés sur le plan physique, psychologique et psychique. L'hypnose peut favoriser la perception extra-sensorielle.

*Magie :* Technique utilisant des pouvoirs psychiques, renforcée en général par un rituel, et permettant d'obtenir des effets apparemment contraires aux lois naturelles. Certains actes magiques se rapprochent de la psychocinèse.

*Magnétisme animal :* Selon Mesmer, serait une sorte de fluide susceptible d'être transmis aux êtres et aux choses.

*Médium :* Mot utilisé à l'origine par les spirites pour indiquer qu'une personne pouvait servir d'intermédiaire entre les êtres vivants et les esprits. Certains parapsychologues emploient encore ce mot mais en lui donnant une autre signification ; pour eux, le médium est un sujet pratiquant la perception extra-sensorielle.

*Métagnomie :* Mot synonyme de clairvoyance (voir ce mot).

*Métapsychique :* Selon Charles Richet, étude des phénomènes physiques ou psychologiques provoqués par des forces qui semblent intelligentes ou des facultés inconnues latentes dans l'esprit humain. La métapsychique est une forme ancienne de la parapsychologie moderne.

*Morphopsychologie :* Étude des formes du corps humain dans ses rapports avec les tendances tempéramentales, caractérielles, psychiques et physiologiques de l'individu.

*Oniromancie :* Divination par l'analyse des rêves.

*Parapsychologie :* Étude de certains phénomènes physiques et psychiques en dehors des disciplines classiques de la science traditionnelle. La *psilogie,* la *psychotronique,* la *bio-information* et la *métapsychique* recouvrent un champ d'investigation à peu près semblable à celui de la parapsychologie.
La parapsychologie moderne comprend trois éléments principaux : la voyance (ou clairvoyance), la télépathie et la psychocinèse (ou psychokinésie).

*Percipient :* Personne qui reçoit ou perçoit certaines informations ou messages dont le centre d'émission se situe en dehors d'elle. Le percipient est un *récepteur.*

*Psi :* Vingt-troisième lettre de l'alphabet grec qui est, en mathématiques, symbole de l'inconnu. Terme de plus en plus employé pour désigner les phénomènes paranormaux dans leur ensemble : clairvoyance, télépathie, prémonition, psychocinèse, etc.

*Psychocinèse ou psychokinésie* (P.K.) : Influence supposée de la pensée sur une matière inerte ou en mouvement (le sujet est *émetteur).*

*Psychométrie :* Forme particulière de clairvoyance qui s'exerce au contact d'objets servant d'inducteurs ; les objets enregistreraient les événements dont ils ont été les témoins et s'imprégneraient de la personnalité de ceux qui les auraient possédés.

*Psychotronique :* Terme créé par les chercheurs tchécoslovaques en 1968 englobant tous les phénomènes parapsychologiques, en écartant toutefois la notion d'inconscient et en postulant une notion énergétique.

*Quanta* (théorie des) : Théorie créée en 1900 par le physicien allemand Planck. Selon cette théorie, sur laquelle se fonde la physique moderne, l'énergie rayonnante posséderait une structure discontinue formée de quanta (« grains »). Quelques physiciens éminents estiment que la théorie des quanta pourrait constituer une hypothèse explicative de certains phénomènes parapsychologiques.

*Récepteur* (voir Percipient).

*Somnambulisme :* Phase de l'action hypnotique provoquant chez un sujet l'accomplissement automatique de gestes ou d'actions, dans un état de sommeil provoqué.

*Spiritisme :* Doctrine qui implique la survivance spirituelle après la mort. Des médiums auraient ainsi la possibilité de contacts et de communications avec les esprits des défunts.

*Télépathie :* Transmission de pensée, volontaire ou non, entre un sujet *émetteur* et un sujet *récepteur*, sans l'utilisation des sens connus.

*Voyance* (voir Clairvoyance).

# Bibliographie

ABELLIO (R.) : *Vers un nouveau prophétisme*, Gallimard.

AEPPLI : *Les Rêves et leur interprétation*, Payot.

ALFONSI (Ph.) et PESNOT (P.) : *L'Œil du sorcier*, Robert Laffont.

AMADOU (R.) : *La Parapsychologie*, Denoël.

AMBELAIN (R.) : *Les Tarots. Comment on apprend à les manier*, Niclaus.

AZAM : *L'Hypnotisme et le dédoublement de la personnalité*, Alcan.

BARRUCAND (D.) : *Histoire de l'hypnose en France*, P.U.F.

BARRY (J.) : *Journal d'un parapsychologue*, Éd. Première.

BARUK (H.) : *L'Hypnose*, P.U.F.

BAUDOIN (Ch.) : *Suggestion et autosuggestion*, Delachaux et Niestlé ; *Introduction à l'analyse des rêves*, Delachaux et Niestlé.

BECKER (R. de) : *Les Rêves*, Planète : *Les Songes*, Grasset.

BÉLANGER (L.) : *Psi, au-delà de l'occultisme*, Québec-Amérique.

BÉLIARD (O.) : *Sorcier*, Stock.

BERTRAND (R.) : *La Télépathie et les royaumes invisibles*, Robert Laffont.

BENDER (H.) : *Étonnante Parapsychologie*, Retz ; *L'Univers de la parapsychologie*, Dangles.

BERNARD (J.L.) : *Le dictionnaire de vos rêves*, A. Lefeuvre.

BERNHEIM (H.) : *De la suggestion dans l'état hypnotique et dans l'état de veille*, Doin.

BISSON (J.) : *Les Phénomènes dits de matérialisations*, Alcan.

BLIN (C.) : *Connaissance de soi et des autres*, Le Hameau.

BOON (H.) - DAVROU MACQUET : *La Sophrologie*, Retz.

BOWLES et HYNDS : *Psi Search*, Harper and Row.

BOZZANO (E.) : *Les Phénomènes de hantise*, Alcan.

CARRINGTON (W.) : *La Télépathie*, Payot.

CAUZONS (Th. de) : *La Magie et la sorcellerie en France*, Dorbon Aîné.

CHAUCHARD (P.) : *Hypnose et suggestion*, P.U.F.

CHAUVIN (R.) : *Certaines choses que je ne m'explique pas*, Retz ; *Les Surdoués*, Stock.

CHAUVIN (R.) (Duval Pierre) : *La Parapsychologie. Quand l'irrationnel rejoint la science*, Hachette Littérature ; *Nos pouvoirs inconnus*, Planète : *La Science devant l'étrange*, Denoël.

CHEIRO : *Ce que disent les mains*, Stock.

CHERTOK (R.) : *L'Hypnose*, Masson.

CHETTOUI (W.) : *Initiation à la parapsychologie*, Ceredor.

CORMAN : *Nouveau Manuel de Morphopsychologie*, Stock.

COSTA DE BEAUREGARD : *Le Second Principe de la science du temps*, Seuil ; *La Notion du temps équivalence avec l'espace*, Hermann ; *la Physique moderne et les pouvoirs de l'esprit*, Le Hameau.

COUÉ (E.) : *La Maîtrise de soi-même*, Astra.

CREOLA (G.) : *Le Magnétisme à la portée de tous*, A. Lefeuvre.

CURCIO (M.) : *vous êtes tous guérisseurs*, Desforges ; *Surprenante magie*, Desforges ; *Le Guide de l'occultisme*, Presses Select.

DAUVEN (J.) : *L'Hypnotisme, science précise*, Nouvelles Éditions Latines ; *Les Pouvoirs de l'hypnose*, Dangles.

DAVID-NEEL (A.) : *Mystiques et magiciens du Tibet*, Plon.

DEGAUDENZI (J.L.) : *Les O.V.N.I. en Union soviétique*, A. Lefeuvre.

DEPRET (T.) : *Guide de la vie intérieure*, Le Hameau.

DIERKENS (J. et C.) : *Manuel expérimental de parapsychologie*, Casterman.

DROSCHER (V.B.) : *Les Sens mystérieux des animaux*, Robert Laffont.

DUMAS (A.) : *La Science de l'âme*, Dervy.

DUPLESSIS (Y.) : *La Vision parapsychologique des couleurs*, Épi.

DURVILLE (H.) : *Cours de magnétisme personnel ; Cours de magnétisme expérimental et curatif ; Cours d'hypnotisme et de suggestion*, Durville.

DUVAL (M.) : *Comment devenir voyant*, A. Lefeuvre.

ENCAUSSE (Ph.) : *Sciences occultes et déséquilibre mental*, Pythagore.

FRANCE (H. de) : *À la recherche de l'inconnu*, Desforges ; *Radiesthésie et connaissance intuitive*, Desforges. *Intuition provoquée et radiesthésie*, Éd. du Cep.

FERGUSSON (M.) : *Révolution du cerveau*, Calmann-Lévy.

FONTAINE (P.) : *La Magie chez les Noirs*, Dervy.

FREUD (S.) : *La Science des rêves*, Alcan : *L'Interprétation des rêves*, P.U.F.

GARDNER (M.) : *Les Magiciens démasqués*, Presses de la Cité.

GELEY (G.) : *De l'inconscient au conscient*, Alcan ; *L'Être subconscient*, Alcan.

GELLER (U.) : *Ma vie est fantastique*, Pygmalion.

GILLOT (M.) : *Des sorciers, des envoûteurs, des mages*, La Table ronde.

GODEFROY (Ch.) : *La Dynamique mentale*, Robert Laffont.

GRANT-VEILLARD : *101 Réponses sur les phénomènes surnaturels*, Hachette.

GUÉNON (R.) : *Les États multiples de l'être*, Chacornac.

GURNEY, MYERS, PODMORE : *Les Hallucinations télépathiques*, Alcan.

GUYONNAUD (J.P.) : *Endormir par l'hypnose et éclairer par la sophrologie*, Maloine.

HADES : *Manuel complet d'interprétation du tarot*, Arts et métiers graphiques.

HETTINGER (J.) : *The Ultra Perception Faculty*, Rider, Londres.

HUTCHINSON (B.) : *La Main, reflet du destin*, Payot.

HUTIN (S.) : *Techniques de l'envoûtement*, Presses Pocket.

HUXLEY (A.) : *Les Portes de la perception*, Pygmalion.

JAGOT (P.C.) : *Théories et procédés de l'hypnotisme*, Dangles ; *Méthode pratique de magnétisme, hypnotisme, suggestion*, Dangles.

JOIRE (P.) : *Les Phénomènes psychiques supranormaux*, Vigot.

JUNG (C.G.) : *L'Homme à la découverte de son âme*, Payot ; *Les Racines de la conscience*, Buchet-Chastel ; *Les Phénomènes occultes*, Aubin.

KELLER. (W.) : *La Parapsychologie ouvre le futur*, Robert Laffont.

KERVRAN (C.L.) : *Transmutation à faible énergie*, Maloine.

KOESTLER (A.) : *Les Racines du hasard*, Calmann-Lévy ; *Les Somnambules*, Calmann-Lévy.

LAFFOREST (R. de) : *Ces maisons qui tuent ; Les Lois de la chance ; La Réalité magique*, Robert Laffont.

LANCELIN (Ch.) : *La Sorcellerie des campagnes*, Durville.

LARCHER (H.) et RAVIGNANT (P.) : *Les Domaines de la parapsychologie*, C.A.L.

LECRON (L.) : *L'Autohypnose*, Ariston, Genève.

LIEBAULT (A.) : *Du sommeil et des états analogues*, Masson.

LIGUORI (Ch. de) : *L'Hypnotisme. Principes, techniques*, De Vecchi.

LORENZ (K.) : *Trois Essais sur le comportement animal et humain*, Le Seuil.

MAETERLINCK (M.) : *L'Hôte inconnu*, Fasquelle.

MAIRE and LOMETHE : *Soviet and Czehaslovakian. Parapsychology Research*, Dept of Defense, Washington.

MAJAX : *Le Grand Bluff*, Nathan.

MANGIN (H.) : *La Main, miroir du destin*, Sorlot.

MANNING (M.) : *D'où me viennent ces pouvoirs*, Albin Michel.

MARCEL (G.) : *Journal métaphysique*, Gallimard.

MARCOTTE (H.) : *La Télesthésie*, Presses de la Renaissance.

Mc Connell : *E.S.P. Curriculum Guide,* Simon and Schuster, N.Y.

Mesmer : *Mémoire sur la découverte du magnétisme animal,* Didot.

Michel (A.) : *Les Pouvoirs du mysticisme,* Retz.

Misraki (P.) : *Les Raisons de l'irrationnel,* Robert Laffont.

Moine (M.) : *Guide de la radiesthésie,* Stock.

Montandon (R.) : *Maisons et lieux hantés,* Diffusion scientifique.

Myers : *La Personnalité humaine, sa survivance, ses manifestations supranormales,* Alcan.

Naumov-Vilenskaya : *Soviet Bibliography on Parapsychology* (Psychoenergetics) *and Related Subjects* (traduction américaine du russe), Ed. J.P.R.S. Dept of Commerce, Washington.

Ostrander (S.) et Schroeder (L.) : *Fantastiques Recherches parapsychiques en U.R.S.S.,* Robert Laffont ; *Nouvelles Recherches sur les phénomènes psi,* Robert Laffont.

Osty (E.) : *La Connaissance supranormale,* Alcan ; *Les Pouvoirs inconnus de l'esprit sur la matière,* Alcan.

Panati (Ch.) : *Le Phénomène Uri Geller à l'épreuve de la science,* Robert Laffont.

*Parapsychologie devant la science (La) :* Ouvrage collectif édité en 1976 à l'occasion de la Rencontre internationale de parapsychologie de Reims à laquelle participaient de nombreux spécialistes : Rémy Chauvin, Hans Bender, Costa de Bauregard, Dierkens, etc., Berg.

Pauwels (L.) et Bergier (J.) : *Le Matin des magiciens,* Gallimard.

Pedrazzani (J.M.) : *Magie et Sorcellerie dans la vie quotidienne,* Belfond ; *Techniques et Pouvoirs de l'occultisme,* Belfond ; *Le Temps des sabbats,* Belfond.

Pegaso (O.) : *Magie et Sorcellerie,* De Vecchi.

Pérot (R.) : *L'Effet P.K. ou l'action de l'esprit sur la matière,* Tchou.

Puharich (A.) : *Les États seconds,* Tchou.

246

RAGER (G.R.) : *Hypnose et Sophrologie en médecine*, Fayard.

REEVES (H.) : *Patience dans l'azur*, Seuil.

REGNAULT (J.) : *Sorcellerie, ses rapports avec les sciences biologiques*, A. Legrand.

RENO-BAJOLAIS (J.) : *Méthode rationnelle d'influence à distance de dédoublement*, Niclaus.

RHINE (L.) : *Les Voies secrètes de l'esprit*, Fayard ; *Initiation à la parapsychologie*, Presses de la Renaissance.

RHINE (J.B.) : *La Double Puissance de l'esprit*, Payot : *Le Nouveau Monde de l'esprit*, Payot.

RIBADEAU DUMAS : *Dossiers secrets de la sorcellerie*, Presses Pocket ; *Histoire de la magie*, Productions de Paris.

RICHET (Ch.) : *L'Avenir et la prémonition*, Aubier ; *Notre sixième sens*, Aubier ; *Traité de métapsychique*, Alcan.

RIGNAC (J.) : *Le Grand Livre pratique de la divination*, De Vecchi.

ROCHAS (A. de) : *L'Extériorisation de la sensibilité*, Chamuel ; *L'Envoûtement, documents historiques et expérimentaux*, Chamuel ; *L'Extériorisation de la motricité*, Chacornac.

ROUET (N.) : *Théories et pratiques de l'hypnotisme*, Productions de Paris.

RUCHON (J.L.) : *L'Étrange Dossier des stigmatisés*, A. Lefeuvre.

RUFFAT (A.) : *La Superstition à travers les âges*, Payot.

RUYER (P.) : *La Gnose de Princeton*, Fayard.

RYZL (M.) : *La Recherche en parapsychologie*, Christian H. Godefroy ; *Hypnotisme et E.S.P.*, Éd. Québec Amérique.

SAISSET (F.) : *Qu'est-ce que la métapsychique ?* Niclaus.

SALOMON (P.), COOPER (Ch.), MOELINS : *La Parapsychologie et vous*, Albin Michel.

SARAMON (D.) : *Initiation à l'hypnomagnétisme*, Chiron.

SCHRENCK-NOTZIG (A.) : *Les Phénomènes physiques de la médiumnité*, Payot.

SCHULZ (J.H.) : *Le Training-autogène*, P.U.F.

*Science et Conscience*. Colloque de Cordoue, 1979, Stock, France-Culture.

SCIUTO (G.) : *Les Maîtres et les mystères du magnétisme*, Balland ; *Lire dans les lignes de la main*, Hachette.

SHAPIN, BAND, CALY : *Education in Parapsychology,* Ed. Parapsychology Foundation, N.Y.

SRI AUROBINDO : *Les Bases du Yoga,* Maisonneuve.

SOTTO (A.) : *La Télépathie,* Celt.

SUDRE (R.) : *Traité de Parapsychologie,* Payot.

TEILHARD (A.) : *Ce que disent les rêves,* Stock.

TEILHARD de CHARDIN : *Le Phénomène humain,* Le Seuil.

THAKOTINE (S.) : *Le Viol des foules,* Gallimard.

TISCHNER (R.) : *Introduction à la parapsychologie,* Payot.

TIZANE (E.) : *Sur la piste de l'homme inconnu,* Amiot-Dumont.

TOCQUET (R.) : *Les Hommes phénomènes,* Productions de Paris ; *Les Dessous de l'impossible,* Éd. Spéciale ; *Les Phénomènes médiumniques,* Grasset ; *Médiums et fantômes,* Éd. Première ; *Tout l'occultisme dévoilé,* Le Livre contemporain ; *Les Pouvoirs secrets de l'homme,* Les Productions de Paris ; *Les Phénomènes physiques de la métapsychique,* Éd. de l'Ermite.

TOMPKINS (P.) et BIRD (C.) : *La Vie secrète des plantes,* Robert Laffont.

TORDJMAN (G.) : *Comment comprendre l'hypnose,* Le Hameau.

TYRRELL (G.N.) : *Au-delà du conscient,* Payot.

VASSILIEV (L.) : *La Suggestion à distance,* Vigot.

VESME (C. de) : *Histoire du spiritualisme expérimental,* J. Meyer.

WARCOLLIER (R.) : *La Métapsychique,* P.U.F. ; *La Télépathie,* Alcan.

WATSON (L.) : *Histoire naturelle du surnaturel,* Albin Michel.

WEBB (D.) : *L'Hypnose et les phénomènes psi,* Robert Laffont.

WEITZENHOFFER (A.) : *Hypnose et suggestion,* Payot.

WHITE (R.) : *Surveys in Parapsychology,* Ed. Scorecrow, N. Jersey.

WIRTH (O.) : *Le Tarot des imagiers du Moyen Âge,* Tchou.

WOLMAN (B.) : *Handbooks of Parapsychology,* Ed. Van Nostrand Reinhald, N.Y.

# Sociétés et centres d'études de parapsychologie dans le monde [1]

*Allemagne :*
Institut für Grenzgebiete der Psychologie und Psychohygiene. Dr H. Bender, Eichhalde 12, D78 Fribourg-en-Brisgau, R.F.A.

*Belgique :*
Laboratoire de Parapsychologie. Dr Dierkens, Université d'État, 24, rue des Dominicains (7000) Mons.

*Brésil :*
Instituto Nacional de Parapsicologia, Avenida Conselheiro Rodrigues Alves 804, Villa Mariana, CEP0414, São Paulo Capital.

*Canada :*
The Montreal Society for Parapsychology and Paraphysics, 4640, Av. Plamondon, appt. 1 — Montreal PQ H3W 1E5.
Psilog. C.P. 300 St-François-du-Lac, Comté Yamaska P.Q. JOG 1MO.
Toronto Society for Psychical Research, 10, North Sherbourne Str., PO Box 427, Toronto (Ontario).

*Espagne :*
Sociedad Espagnola de Parapsicologica, 21, Valentin Robledo Pozuelo de Alarcon, Madrid 23.

*États-Unis :*
Psychical Research Foundation. Duke Station, Durham NC 27708.
Institute for parapsychology, PO Box 6847 College Station, Durham NC 27708.

---

1. Les sociétés et centres d'études s'intéressant à la parapsychologie étant très nombreux, nous avons été dans l'obligation de faire un choix parmi les organismes les plus importants.

American Society for Psychical Research, 5 West 73 Rd Str., New
York NY 10019.
Electronics and Bioengineering Laboratory. Stanford Research
Institute, 333 Ravenswood Av., Menlo Park CA 94025.

*France :*
Institut métapsychique international, 1, place Wagram, 75017
Paris.
Association bordelaise d'études métapsychiques, 94, cours de
Verdun, 33000 Bordeaux.
Groupe d'études et de recherches parapsychologiques
(G.E.R.P.), 5, impasse Châteaudun, 93200 Saint-Denis.
Institut de parapsychologie, 35, cours de la Liberté, 69003 Lyon.

*Grande-Bretagne :*
Society for Psychical Research, 1 Adam and Eve Mews Kensington,
Londres W8.
Institute of Psychophysical Research, 118 Banbury R., Oxford.

*Israël :*
Israël Parapsychology Society, 736 Ben Yehuda Str., Jérusalem.

*Italie :*
Associazione Italiana Scientifica di Parapsicologica, Via Mazzini,
9-20123 Milan.
Associazione Italiana Scientifica di Metapsychica, Corso Firenze,
8-16136 Gênes.
Societa Italiana di Parapsychologica, 7, Via Montecatini, Rome.

*Luxembourg :*
Institut de Parapsychologie. Dr Philipsen, Château de Manternach,
Grand-Duché de Luxembourg.

*Mexique :*
Sociedad Mexicana de Parapsicologica, Nicole S. Juan 16, Mexico
12 DF, Mexico.

*Pays-Bas :*
Parapsychologisch Institut der Ryksuniversiteit, 5 Springweg,
Utrecht.

*Suisse :*
Schweizerische Vereinigung für Parapsychologie, Industriesstrasse
5, 2555 Brugg, Bienne.

# Table des matières

254

Achevé d'imprimer
en septembre mil neuf cent quatre-vingt-trois
sur les presses de l'Imprimerie Gagné Ltée
Louiseville - Montréal.
Imprimé au Canada